재난사례 분석 기초이론

재난사례 분석 기초이론

발 행 | 2024년 02월 27일
저 자 | 박찬석
펴낸이 | 한건희
펴낸곳 | 주식회사 부크크
출판사등록 | 2014.07.15.(제2014-16호)
주 소 | 서울특별시 금천구 가산디지털1로 119 SK트윈타워 A동 305호
전 화 | 1670-8316
이메일 | info@bookk.co.kr

ISBN | 979-11-410-7374-9 (93530)

www.bookk.co.kr

재난사례 분석 기초이론

박찬석 지음

재난사례 분석 기초이론

본 서적은 예비소방인들이 화재와 같은 재난을 분석할 수 있는 역량을 키우기 위한 기초이론을 체계적으로 배울 수 있도록 구성하였다.

재난 및 재난관리의 개념에서는 재난의 개념과 유형, 재난과 사고의 일반이론, 재난관리의 개념과 4단계, 재난관리의 모형, 재난관리체제의 목적과 특징 및 해외와 우리나라의 시스템에 대한 재난과 관련한 기초적 이론들을 학습하게 된다.

재난사례분석 파트에서는 대한민국 정부 수립 이후 발생한 대형재난 중 사망자가 100명 이상 발생하거나 사회적 파급효과가 큰 재난사례를 소개하고, 이러한 재난사례를 분석할 수 있는 분석틀을 학습하게 된다.

이 책을 통해 재난과 소방분야에 대한 중요성이 부각되고 안전문화정착에 기여함으로써 더 이상 재난으로부터 고통받는 국민들과 재난현장에서 목숨을 잃는 재난구호자가 더 이상 생기지 않기를 바람한다.

마지막으로 이 책이 나오기까지 도움을 준 사랑하는 아내 석혜민박사, 딸 하연양과 제자들에게 감사의 말을 전한다.

저자 박 찬 석

차 례

2장 재난사례분석 · 79

1. 대한민국 재난사례 · 80

1장

재난 및 재난관리의 개념

1. 재난일반이론

가. 재난의 개념

재난의 개념을 한마디로 정의하기는 어렵다. 왜냐하면 그 시대적 배경에 따라 발생되는 재난의 종류와 인간생활에 미치는 영향이 서로 다르기 때문이다. 따라서 재난의 개념은 그 시대와 사회환경에 따라 유동적으로 인식되고 있는 상대적인 개념으로 그 정의와 분류는 나라와 학자에 따라 다양하다. 현대사회 이전에는 태풍, 홍수, 지진과 같은 천재지변을 재난으로 인식하였으나 최근 물질문명의 발전과 함께 인위적 요인에 의한 대형사고까지도 재난의 범주에 포함시키고 있으며, 테러 및 전쟁으로 인한 재해까지도 포함되는 개념으로 정립되고 있다. 다시 말하면 근대사회에서 현대사회로 발전하면서 재난의 개념은 지속적으로 변화하고 있다.

1) 어원적 개념

재해 또는 재난(disaster)의 어원을 분석하면, dis는 불일치의 뜻이며 aster는 라틴어로 astrum 또는 star라는 의미로, 재해는 별의 배열이 맞지 않아 생기는 재앙(Calamity)이라는 뜻이다. 어원분석을 통해 볼 때 재해 또는 재난(disaster)은 광범위한 지역에 걸쳐 일어나는 자연재해를 지칭하는 것이었으며, 현대사회에 들어와 대규모의 인위적 사고의 결과가 자연재해를 능가함에 따라 Disaster는 자연재해와 인위재난을 포괄하는 개념으로 받아들여지게 되었다.

2) 물리적 관점에서의 개념

재난을 재산피해와 인명피해의 정도에 초점을 맞추어 정의하는 관점으로 대부분의 나라에서는 이러한 물리적 관점에서 피해규모에 따라 일상적 사고와 구별되는 재난으로 정의하기도 한다.

3) 사회적 관점에서의 개념

사회적 관점에서 재난의 정의를 시도하는 사람들은 “재난으로 인한 그 지역사회의 충격과 혼란상태”를 중요시한다. 소규모 사고일지라도 사회적 정치적 환경에 따라 재난으로 인식될 수 있다. 만약 자동차 사고로 10명의 사상자가 발생했다면, 그 지역에 의료시설이나 구조대원들이 없는 경우, 그 지역주민에게는 재난으로 받아들여질 수도 있다. 그러나 응급의료센터가 체계적으로 잘 운영되고 있는 대도시 지역에서는 그저 의외의 사고로 인식될 뿐이다.

유엔에서는 정상적인 생활영위의 불가능성과 재난의 예측불가능성에 초점을 맞추어 “사회적 기본조직 및 정상기능을 와해시키는 갑작스런 사건이나 큰 재해로써 재해의 영향을 받은 사회가 외부의 도움이 없이는 극복할 수 없고, 정상적인 능력으로 처리할 수 없는 재산, 사회간접시설, 생활수단의 피해를 일으키는 단일 또는 일련의 사건”으로 재난을 정의한다.

4) 실정법적 개념

「재난 및 안전관리기본법」 제3조제1항에서는 「재난」을 「국민의 생명·신체 및 재산과 국가에 피해를 주거나 줄 수 있는 것」이라고 정의하고 이를 다시 2개의 유형으로 분류하고 있다.

① 자연재난 : 태풍, 홍수, 호우(豪雨), 강풍, 풍랑, 해일(海溢), 대설, 한파, 낙뢰, 가뭄, 폭염, 지진, 황사(黃砂), 조류(藻類) 대발생, 조수(潮水), 화산활동, 「우주개발 진흥법」에 따른 자연우주물체의 추락·충돌, 그 밖에 이에 준하는 자연현상으로 인하여 발생하는 재해
② 사회재난 : 화재·붕괴·폭발·교통사고(항공사고 및 해상사고를 포함한다)·화생방사고·환경오염사고·다중운집인파사고 등으로 인하여 발생하는 대통령령으로 정하는 규모 이상의 피해와 국가핵심기반의 마비, 「감염병의 예방 및 관리에 관한 법률」에 따른 감염병 또는 「가축전염병예방법」에 따른 가축전염병의 확산, 「미세먼지 저감 및 관리에 관한 특별법」에 따른 미세먼지, 「우주개발 진흥법」에 따른 인공우주물체의 추락·충돌 등으로 인한 피해

이는 종전에 자연재해와 인적재난으로 이원화하여 사용되어 오던 재난의 개념을 통합하고, 에너지·통신·교통·금융 등 국가기반체계 마비로 인한 피해까지 포함하여 현재의 사회적 환경이나 과학기술 수준에서 예상치 못했던 새로운 유형의 재난 발생시에도 유연하게 대처할 수 있도록 확대 일원화된 재난의 개념을 정립한

것이다.

5) 최신 학문적 정의

부정적 결과로 인한 요구가 지역사회 자원을 초과하는 현상이나 자연적 혹은 인위적 원인으로 인하여 파괴와 손실, 대량환자 발생 등을 유발하는 대형사고나 재앙을 의미한다.

6) 재난관련 유사용어 정의

가) 재난과 일상적 사고(Routine emergency)

재난이 돌발적인 대규모 사태라는 측면에서 일상적인 소규모 사고와 구별되며, 예측 불가능하다는 면에서 사람들이 의외의 사건으로 받아들이지 않는 일반적인 사고와 구분된다. 또한 일상적인 사고가 그 지역의 대응능력 만으로 충분히 수습할 수 있다는 점에서 해당지역의 대응자원만으로 통제 불가능한 재난과 구분된다. 사고와 재난개념 구분의 실익은 일상적 사고에 비해 재난은 정밀하고 특별한 대응복구체계를 필요로 하며, 별도의 대응계획을 수립해야 한다는데 있다.

나) 재난과 재앙(Calamity)

재난과 비교되는 재앙의 특징은 전체 주거지의 전부나 대부분이 영향을 받고, 거의 모든 위기관리조직의 시설과 작전기지가 직접적으로 타격을 받으며, 대체로 그 지역 공무원이 통상적인 업무를 수행할 수 없고, 지역사회의 정상적이고 일상적인 기능의 대부분이 같은 시간에 돌연히 중단된다는 것이다. 재앙의 이러한 특징은 재앙이 재난에 비해 충격과 피해 면에서 보다 큰 것임을 시사하고 있다.

다) 재난과 위기(Crisis)

위기의 개념은 정치, 경제, 사회, 문화적 분야에서 상당히 광범위하게 사용되는 개념이다. 국가에 따라서 독일과 같은 관념적인 재난용어를 사용하는 국가에서는 위기개념을 주로 사용하고, 미국, 영국과 같은 나라에서는 위기 개념 대신에 사고 또는 재난의 개념을 주로 사용한다. 위기의 사전적 정의가 "위험한 때나 고비"로 정의하고 있는 반면 정치, 경제적으로 어려운 상황을 정치위기, 또는 경제위기라고 부르기도 하고, 사회적으로 어려운 상황을 사회적 위기로, 심지어 전통문화가 외국문화에 의해 잠식되는 상황에 대하여도 문화적 위기로 정의하는 것과 같이 재앙이나 재난의 범주를 벗어나 일반적인 용어로 사용되기도 한다.

나. 재난의 분류

재난은 국가와 지역에 따라 다양하게 분류되고 있을 뿐만 아니라 재난의 복합적인 현상으로 인해 그 분류기준도 명확하게 제시되고 있지 않다. 그러나 일반적으로 재난은 몇 가지 기준에 의하여 분류되고 있는데 그것은 재난의 발생원인에 의한 분류, 재난발생장소에 의한 분류, 재난대상에 의한 분류, 직·간접에 의한 분류, 재난발생과정의 시간적 차이에 의한 분류 등이다.

1) 일반적인 재난분류

일반적으로 재난은 크게 자연재난(natural disaster)과 인위재난(man-made disaster)으로 구분해 볼 수 있다. 자연재난은 홍수, 폭풍, 지진 등과 같이 자연현상에 기인한 것으로, 고전적 의미에서의 재난은 주로 자연재해를 지칭하였다. 인위재난은 폭발, 붕괴사고 등과 같이 인위적 원인에 의한 것으로 도시화 현상과 더불어 대규모의 인위적 사고도 재난으로 받아들여지고 있다.

특히 재난의 유형을 자연재난과 인위재난으로 분류하는 방법은 재난관리의 목적에 따라 대응계획을 수립하는 경우 대응단계별 필요자원의 특성 등을 쉽게 파악할 수 있다는 점에서 대응정책상의 유용성이 있다.

< 표 1> 일반적인 재난의 분류

자연재난		인위재난			
기상재해	**지질재해**	**기계적 재난**	**화학적 재난**	**환경재난**	**특수재난**
풍해, 수해 설해, 해일 박해, 뢰해 조해, 냉해 상해, 병충해등	지진 화산등	시설물사고 교통사고 기계사고 등	화학물누출 화재사고 폭발사고 등	대기오염 수질오염 토양오염등	원자력사고 전염병 소요사태 전쟁 등

2) Jones의 재난분류

David K. C Jones의 재난분류는 재난의 발생원인과 재해현상에 따라 크게 자연재해, 준자연재해, 그리고 인위재해로 삼분(三分)한다. 자연재해는 다시 지구물리학적 재해와 생물학적 재해로 나누며 지구물리학적 재해를 다시 지질학적, 지형학적, 기상학적 재해로 구분하고 있다.

<표 2> Jones의 재난분류

<table>
<tr><th colspan="6">재 해</th></tr>
<tr><th colspan="4">자 연 재 해</th><th>준자연재해</th><th>인위재해</th></tr>
<tr><th colspan="3">지구물리학적 재해</th><th>생물학적 재 해</th><td rowspan="3">스모그현상
온난화현상
사막화현상
염수화현상
눈사태
산성화
홍수,
토양
침식 등</td><td rowspan="3">공해
광화학연무
폭동
교통사고
폭발사고
태업
전쟁 등</td></tr>
<tr><th>지질학적 재 해</th><th>지형학적 재 해</th><th>기상학적 재 해</th><td rowspan="2">세균질병
유독식물
유독동물</td></tr>
<tr><td>지진
화산
쓰나미
등</td><td>산사태
염수토양
등</td><td>안개, 눈,
해일,
번개,
토네이도,
폭풍, 태풍,
가뭄
이상기온 등</td></tr>
</table>

3) Anesth의 재난분류

재난을 인위재해와 자연재해로 이분(二分)하는 관점도 세분류(細分類)를 각각 달리하고 있다. Br. J. Anesth는 자연재해를 기후성 재해와 지진성 재해로 분류하고 인위재해를 고의성 유무에 따라 사고성 재해와 계획적 재해로 구분하고 있다.

<표 3> Anesth의 재난분류

대 분 류	세 분 류	재 해 의 종 류
자 연 재 해	기후성 재해	태풍
	지진성 재해	지진, 화산폭발, 해일
인 위 재 해	사고성 재해	- 교통사고(자동차, 철도, 항공, 선박사고) - 산업사고(건축물 붕괴) - 폭발사고(갱도, 가스, 화학, 폭발물) - 화재사고 - 생물학적 재해 (박테리아, 바이러스, 독혈증) - 화학적 재해 (부식성물질, 유독물질) - 방사능재해
	계획적 재해	테러, 폭동, 전쟁

4) 실정법상 재난의 분류

「재난 및 안전관리기본법」 제3조제1항에서는 「재난」을 「국민의 생명·신체 및 재산과 국가에 피해를 주거나 줄 수 있는 것」 이라고 정의하고 이를 다시 2개의 유형으로 분류하고 있다.

■ 자연재난 : 태풍, 홍수, 호우(豪雨), 강풍, 풍랑, 해일(海溢), 대설, 한파, 낙뢰, 가뭄, 폭염, 지진, 황사(黃砂), 조류(藻類) 대발생, 조수(潮水), 화산활동, 「우주개발 진흥법」에 따른 자연우주물체의 추락·충돌, 그 밖에 이에 준하는 자연현상으로 인하여

발생하는 재해
■ 사회재난 : 화재 · 붕괴 · 폭발 · 교통사고(항공사고 및 해상사고를 포함한다) · 화생방사고 · 환경오염사고 · 다중운집인파사고 등으로 인하여 발생하는 대통령령으로 정하는 규모 이상의 피해와 국가핵심기반의 마비, 「감염병의 예방 및 관리에 관한 법률」에 따른 감염병 또는 「가축전염병예방법」에 따른 가축전염병의 확산, 「미세먼지 저감 및 관리에 관한 특별법」에 따른 미세먼지, 「우주개발 진흥법」에 따른 인공우주물체의 추락 · 충돌 등으로 인한 피해

재난유형별로 세부구분을 살펴보면 다음과 같다.

가) 자연재난

• 정의 : 자연재난(Natural disaster)이란 자연 현상으로 일어나는 재앙 등을 일컫는 용어로 자연현상으로 인하여 발생하는 재해이다.

• 발생유형
① 태풍 : 북태평양 남서부에서 발생하여 아시아 동부로 불어오는 풍속이 32m/s이상인 맹렬한 열대 저기압(사례 : ’02. 8월 「루사」, ’04. 9월 「매미」, ‘12. 8월 「볼라벤, 「덴빈」)
② 홍수 : 집중 호우 등으로 계곡이나 저수지, 댐, 하천, 강 등의 둑(제방)이 넘쳐 주택지, 농경지까지 침수되어 피해를 입히는 현상으로 우리나라는 6～9월의 여름철에 연강수량의 60%이상이

집중되는 비가 내리는데, 특히 7월에 연강수량의 30%가 되는 집중호우가 자주 내려 홍수가 발생(사례 : ’98년 324 명 사상자 발생 대홍수)

③ 호우 : 줄기차게 내리는 크고 많은 비로 우리나라의 호우는 주로 여름철 장마 전선상에서 나타나는 경우가 많고, 태풍 내습시에도 호우를 동반함. 단기간에 많은 비가 오는 것을 강우 또는 집중호우라 하고, 반드시 단기간에 한하지 않고, 총강수량이 많은 것을 호우라 함

④ 강풍 : 10분간 평균 풍속이 초속 14m(28kt) 이상인 바람을 말하는 것으로 이 풍속은 보퍼트(풍력 계급표 Beaufort wind scale)에서 7이상으로서, 수목 전체가 흔들리고 해상에서의 파도는 대략 5.5~7.5m이며 바람을 안고 걷기가 힘들게 됨

⑤ 풍랑 : 해상에서 바람에 의해 일어나는 파도로서 바람에 따라 미세한 파도가 나타나다가 풍속이 1~2m/s 이상이 되면 보통 풍랑이라고 하는 파도임

⑥ 해일 : 해일은 폭풍해일과 지진해일이 발생할 수 있는데 주로 ‘쓰나미’로 불리는 지진해일의 피해가 크며, 해저지진이나 해저화산의 폭발이 일어날 때 그 파동으로 인해 파도가 해안으로 밀려와 발생(사례 : ’04,12월 인도네시아에서 부근 9.0규모 지진으로 발생한 남아시아 해일, ’11.3월 일본 동북부 9.0 규모지진으로 발생한 일본 지진해일)

⑦ 대설 : 아주 많이 오는 눈으로 일반지역에서는 강설량이 10cm이상 예상될 때 대설경보이며, 대도시 지역과 울릉도 지역에서는 강설량이 각각 20cm, 50cm이상 예상될 때 발표함

⑧ 낙뢰 : 번개의 종류 가운데 구름과 대지 사이에서 발생하는

방전현상을 말함. 흔히 벼락 혹은 대지방전이라고 불림
⑨ 가뭄 : 일정한 강수량으로 음용수, 농업용수 등에 필요한 물을 공급하여야하나 물 부족으로 인해 생활불편이나 농작물 성장저해 등을 초래하는 현상
⑩ 지진 : 자연적·인공적 원인으로 인해 지구의 표면이 흔들리는 현상. 흔히 자연적인 원인 중 단층면에서 순간적으로 발생하는 변위 자체를 지진이라 하고 현상학적으로는 지각에 저장되어 있던 위력이 탄성 진동에너지로 바뀌어져 급격히 발생하는 현상(사례 : '08.5월 중국 쓰촨성 지진, '10.1월 아이티 지진 , '11. 3. 동일본대지진))
⑪ 황사 : 중국이나 몽골 등 아시아 대륙의 중심부에 있는 사막과 황토 지대의 작은 모래나 황토 또는 먼지가 하늘에 떠다니다가 상층바람을 타고 멀리까지 날아가 떨어지는 현상(우리나라는 보통 3 ~ 4월 주로 발생)
⑫ 조류대발생 : 물에 영양분이 지나치게 많거나 수온 상승으로 인하여 플랑크톤이 이상 번식하여 바다, 강, 운하 호수 등의 색깔이 바뀌는 현상으로 이로 인하여 어업, 특히 양식어업에 큰 피해를 줌
⑬ 조수 : 아침에 밀려들었다가 나가는 바닷물 현상

나) 사회재난

• 정의 : 인적재난과 사회적 재난을 모두 포함하는 개념으로 자연재난외의 사회적 현상의 결과로 발생한 재난을 의미한다.

• 발생유형

① 화재 : 「소방기본법」에서 정한 소방대상물이 화재로 인명과 재산피해가 발생한 사고로서 최근 건물의 대형화, 복잡화 등으로 인해 사상자가 발생할 가능성 높음

② 붕괴 : 건물, 교량, 육교, 터널 등 각종 시설물 및 공장에서 시공하자, 노후, 관리소홀, 지반약화, 안전조치 불량 등으로 붕괴되어 인명과 인명피해가 발생한 사고

(사례 : '94.10월 성수대교 붕괴, '95.6월 삼풍백화점 붕괴)

③ 폭발 : 「도시가스사업법」과 '에너지이용합리화법'에서 정한 가스 및 에너지가 누출되어 폭발로 인해 인명과 재산피해가 발생한 사고

(사례 : '94.12월 아현동 도시가스 폭발, '95.4월 대구도시가스 폭발, '12.8월 강원 삼척가스 폭발)

④ 교통사고 : 「도로교통법」, 「철도사업법」 등에서 자동차, 열차, 항공기 등에서 충돌 등의 원인으로 인하여 인명과 재산피해가 발생한 사고(사례 : '93.3월 부산 구포열차 전복, '06.10월 서해대교 차량충돌)

⑤ 화생방사고 : 화학가스, 방사능 가스 등이 누출되어 주로 인명피해 등이 발생하는 사고(사례 : '86.4월 체르노빌 원전사고, '95년 도쿄 지하철 사린독가스 사고)

⑥ 환경오염사고 : 「환경정책기본법」 등에서 규정하는 환경이 오

염되어 피해를 입은 사고(사례 : '07.12월 태안 앞바다 기름유출 사고, '12.9월(주)휴브글로벌 불산누출사고)

⑦ 국가핵심기반의 마비

- 에너지 : 에너지 생산·저장·공급시설에 대한 물리적 파괴나 기술적 장애, 종사자의 방해 등으로 에너지 공급·유통이 중단되거나 차질을 가져오는 상황
- 통신 : 통신시스템의 파괴나 기술적 장애, 종사자의 방해 등으로 기능이 마비되거나 공공서비스 제공이 중단되는 상황
- 교통 : 교통·수송시설 및 설비·통제시스템의 물리적 파괴나 기술적 장애, 종사자의 운영중단·방해 등으로 관련 서비스가 중단되는 상황
- 금융 : 은행·증권·보험 관련시설 및 설비·시스템 등의 물리적 파괴나 기술적 장애, 종사자의 운영중단·방해 등으로 관련 서비스가 중단되는 상황
- 의료 : 의료·보건 분야 종사자의 의료서비스 중단 등으로 국가기반 체계가 마비되는 상황
- 수도 : 수자원 및 상하수도 시스템에 대한 시설·설비의 물리적 파괴나 종사자의 운영중단, 오염 등으로 음용수 공급이 중단되는 상황

⑧ 감염병 및 가축전염병의 확산 : 메르스, 코로나19, 구제역 등

⑨ 미세먼지 등으로 인한 피해 : 「미세먼지 저감 및 관리에 관한 특별법」에 따른 미세먼지로 인한 피해

다. 자연재난과 인위재난

1) 자연재난과 인위재난의 비교

오늘날 발생되는 재난의 특징은 자연적 요인과 인위적 요인에 의한 재난 또는 대형사고가 빈발하고 있다는 점에서 도시화 현상과 불가분의 관계가 있는 각종 사회기반시설, 교통시설, 산업시설의 건설에 대한 재난 예방적 측면이 강조되고 있다는 것이다. 즉 자연재난은 근본적으로 예방할 수 없는 불가항력적 특징이 강한 반면 인위재난은 인위적이라는 점에서 예방이 가능하다는 것이다.

자연재난은 광범위한 지역에 걸쳐 발생되며 재산피해와 사상자 발생이 넓은 지역에서 산발적으로 발생된다. 인위재난은 국소 지역에서 재산피해와 사상자가 집중적으로 발생된다는 특징을 가진다.

또한 자연재난이 재난상황이 전개되는 시점에서 대응활동과 재난통제가 극히 제한적으로 진행되는 반면 인위재난은 재난대응활동과 재난통제의 가능성이 상대적으로 높다. 시간적 측면에서도 자연재난이 장기간에 걸쳐 완만히 진행되는 것에 비해 인위재난은 단기간에 걸쳐 급격히 완결된다.

< 표 4 > 자연재난과 인위재난의 비교

구 분		자연재난(Natural disaster)	인위재난(Man-made disaster)
비교항목	피 해 가시성	·가시적으로 환경의 손상 초래	·가시적으로 피해가 나타나지 않는 경우 존재
	예 측 가능성	·어느 정도의 사전예측이 가능 ·어느 정도의 경고가 가능	·사전예측이 거의 불가능 ·피난의 여지가 거의 없음
	상 황 전환점	·식별 가능한 분명한 상황의 전환점이 존재하고 이 시점이후 시간경과에 따라 상황이 개선되는 경향이 있음	·분명한 상황전환점이 존재할 수도 있으나 유독물질 사고의 경우 시간경과에 따라 상황이 호전되지 않을 수도 있음
	통 제 인식성	·통제 불가능한 것으로 인식	·통제 가능한 것으로 인식
	영 향 범위성	·재난의 희생자에 국한	·직접적 피해를 받지 않은 사람에게도 영향
	영 향 지속성	·비교적 단기간 지속	·단기적 또는 장기적 지속

2) 복합재난 : 자연재난과 인위재난의 혼재와 복합성

산업화와 도시화에 따라 인위재난 중 방사능누출사고와 화학공장사고 등과 같이 광범위한 지역에 걸쳐 장기간 재해현상이 진행되기도 하고 지진과 같은 자연재난도 단기간에 걸쳐 많은 재산과 인명피해를 집중적으로 발생시키는 등 각각의 특징을 공유하는 현상을 보이고 있다. 또한 자연재난과 인위재난이 그 원인에 있어서는 차이점이 있으나 피해측면과 대응측면에 있어서는 복합적인 상황과 맞물려 그 구분의 의미는 크지 못하다. 특히 재난시 인명구조와 재난의 진압을 위해 참가하는 대응기관들에 있어서 대부분의 재난은 유사한 대응자원을 동원하고 사용하는 지휘체계 모형에 있어서도 별다른 차이점을 보이고 있지 않다.

라. 재난의 특성[1]

1) 누적성

재난을 배양(Incubation) 과정의 시각에서 인식한 Turner(1978)가 밝힌 바와 같이 재난은 가시적 발생이전부터 오랜 시간 동안 누적되어 온 위험요인들이 특정한 시점에서 표출된 결과이다. 즉 비가시적으로 누적되고 있는 위험발발 요인이 재난을 발생시키는 중요한 요인이다. 그의 MMD(Man-Made Disaster)모형에 의하면 기술적·사회적 ·제도적·행정적 장치들이 재난을 발생시키게 된다. 이는 삼풍백화점 사건이나 성수대교사건에서 전형적인 예를 찾을 수 있다. 또한 비가시적으로 누적되고 있는 위험발발요인은 단순히 재난의 발생에만 작용하는 것은 아니며 전개과정에서도 작용할 수 있다. 예를 들어 전형적인 자연재해인 지진이나 태풍의 경우에도 그 피해는 자연재해의 강도·규모 그 자체에만 의존하는 것이 아니라 예측능력의 부족, 관리체계의 구조적인 결함, 위험에 대한 개인·조직의 타성에 기인한 위험에 대한 낮은 수준의 인지도 등에 의존하게 된다.

특히 Turner는 자신의 MMD 모형을 인지적인 것이라고 했는데 이런 인지적인 것에 대한 강조는 최근 사회적 인지 혹은 문화적 접근으로 이해되고 있다. Pidgeon(1997)은 MMD모형에서 나타나는 위기상황에 대한 내재적인 문화적 맹목성에 주목하고 문화와 조직학습은 안전에 있어 매우 중요하다고 강조하였다.

1) 김주찬, 김태윤, 국가재해재난관리체계의 당위적 구조, 2002

2) 인지성

인지적인 문제는 언어학적으로는 의미장(Meaning field)의 문제와 관련이 된다. 예를 들어 계단을 비상계단으로 이해하는 경우도 있지만 단순한 계단으로 이해하는 경우도 있다. 그리고 동일한 재난을 위기관리자는 단순한 기술적인 사고로 여기는데 비해 그 재난의 피해자들은 대재앙으로 인식하는 것도 한 예가 될 수 있을 것이다. 우리나라의 경우 씨렌드 사건에서 사고가 난 건물을 건물이 아니라 단지 비나 눈을 막아주는 구조물 정도로 인식한 것으로도 볼 수 있다. 이처럼 언어에 내재된 모호성으로 인해 재난의 배양에 있어 정보 수집과 의사소통의 어려움이 발생하게 되고 그에 따라 위험발발요인이 축적되게 된다.

이런 인지적인 차이는 두가지 차원에서 파악될 수 있다. 우선 정치적인 면이 배제된 경우인데 일반적으로 공중은 재난에 대해 시간·효과의 측면에서 모두 제한적이고 피해 역시 쉽게 회복이 가능하며 재난은 정의가 가능하며 통제가 가능하다고 본다. 즉 공중의 재난에 대한 시각은 장기적인 시계가 부족한 것으로 평가된다. 이처럼 정치성이 배제된 경우의 인지적인 차이는 "위험의 객관적인 사실과 주관적인 인지의 불일치"(How safe is safe enough?), "객관적인(정량적) 차원과 주관적(정성적) 차원간의 불일치 등으로 표현된다.

반면 재난은 한 편으로는 어떤 집단에게는 기회를 제공할 수 있으나 기존의 어떤 공동체의 파괴를 야기하거나 전혀 다른 행동양

식을 가진 이방인의 유입을 불러올 수 도 있다. 이런 재난의 정치적인 면을 중시하여 정치성에 의한 인지적인 차이를 강조하는 입장도 있다. 예를 들어 최병선(1994)은 정치성을 인정하여 위험의 일상성과 한정된 자원배분의 효율성간의 불일치에 기인한 위험인지는 절대적인 안정성이나 무해성을 기준으로 할 수 없고 기회편익이나 사회적 순편익을 기준으로 할 수 밖에 없다고 한다.

3) 불활실성

재난의 불확실성은 거의 모든 문헌에서 확인된다. 우선 재난에 대한 기존의 분명한 특성이 변할 수 있고 그에 따라 위기관리조직도 정상적인 대응의 단순한 확대를 넘어선 선례가 없는 조치들을 취할 수밖에 없게 될지도 모른다. 따라서 재난은 선형적·기계적인 과정만을 따르는 것이 아니라 비선형적·유기적 혹은 진화적인 과정을 따를 수 도 있다.

또한 미국 내의 재난에 대한 대응에 있어 나타나는 특성을 네 가지로 분류한 Drabek (1985)에 따르면 비교적 분권화가 잘 이루어진 미국의 경우 지방정부의 역할이 중요하고 불확실성으로 인해 표준화가 어렵다. 즉 연방·주·시 정부에 따라 대응의 양상이 다르며 또한 각각의 정부가 재난에 대해 계획을 세우나 매년 이를 점검하지는 못한다. 또한 다양한 기관이 참여하게 된다. 즉 재난이 발생하면 법집행기관, 소방기관, 군·경찰과 같은 다른 공공기관 뿐만 아니라 자원집단들도 참여하게 되고 그에 따라 재난

발생 전의 위기관리조직의 권한·범위를 넘어선 대안적인 역할정의가 요구된다. 마지막으로 위의 세가지 특성으로 인한 파편화의 특징이 있다. 즉 수직적·수평적으로 파편화가 발생한다. 그에 따라 위기관리조직은 많은 잠재적인 긴장을 내재하게 되고 참여한 많은 기관과의 협력이 어렵게 된다. 국내 문헌 역시 불확실성을 재난의 주요한 특성으로 들고 있다. "위험의 사전적 의미로서의 불확실성", "위험의 가장 주된 내재적 속성 혹은 인간의 예측능력의 한계", "위기발생의 예측불가능성", "위기관리조직의 경계성" 등이 그것이다.

또한 불확실성은 누적성이나 복잡성과는 달리 재난관리 전 과정에 걸쳐 나타난다는 점이 중요하다. 즉 재난 발생 전의 경우 비가시적 요인들이 누적되고 배양되면서 발생가능성이 커지는데 이때 이런 요인들 간의 상호작용은 예측할 수 없고 또한 재난 자체가 언제 어디서 발생할지 정확하게 예측할 수도 없게 된다. 또한 재난발생 후의 경우엔 재난 자체가 기존의 기술적·사회적 장치와 맞물려 어떻게 전개될지 알 수 없을 뿐만 아니라 위기관리조직외의 다른 기관들의 참여로 인해 기관간의 권한과 범위설정이 새로이 요구되고 그에 따라 대응·복구단계의 진행방향 또한 정확하게 예측할 수 없게 된다. 결국 불확실성은 재난 발생 전에는 누적성과 발생 후에는 복잡성과 함께 작용하면서 재난 상황을 특징짓게 된다고 할 것이다.

4) 복잡성

복잡성은 재난 자체의 복잡성과 재난의 발생 후에 관련된 기관들 간의 관계에서 야기되는 복잡성으로 나눠서 살펴볼 수 있다. 우선 재난 자체의 복잡성의 경우 세가지 측면에서 볼 수 있다. 재난의 강도, 규모 그리고 최초 사건과 관련된 다른 재난의 발생이 그것이다. 예를 들어 지진의 경우 지진의 강도와 규모뿐만 아니라(여진도 포함) 지진으로 인한 전염병의 창궐 같은 것을 생각해 볼 수 있을 것이다. 이러한 재난의 복잡성의 원인 중의 하나는 재난이 상호작용성을 지닌다는 것이다. 재난의 발발은 대체로 단일한 원인에 기인하지 않는다. 물론 어떤 특정한 결정적인 원인이 있다고 하더라도 그것은 또 다른 요인들과 재난의 발발을 향해 상호 상승작용을 하는 것이다. 발생 이후에도 재난은 피해주민의 반응, 피해지역의 기반시설 등의 요인들과 계속된 상호작용을 동반하면서 진행해 나간다. 결국 이러한 상호작용에 의해 총체적으로 피해의 강도와 범위가 정해지는 것이다.

이는 재난이 발생한 후엔 과거 재해 경험에서 이해할 수 있는 그런 전통적인 재해가 아니라 새로운 형태 혹은 새로운 지리적 위치에서 예기치 못한 일련의 위기가 이어질 수도 있고 민족적 갈등을 야기할 수도 있다. 이에 따라 복구단계는 인식 가능한 어떤 현존 질서에로의 복귀라기 보다는 단지 어떤 안정적인 형태를 의미하게 된다. 특히 복구 과정에서 원상태로의 완전한 복구가 어렵다는 점에서 비가역적이다. 또한 각각의 재난은 서로 다르며 그에 대한 대응과정에서 조직 내의 갈등 뿐만 아니라 조직 간의 갈등이 야기된다.

특히 사회적으로나 물리적 환경의 심대한 혹은 급격한 변화가 있을 때, 예를 들어 어떤 지역이 통신수단이나 교통수단이 두절되어 고립되는 상황 하에선 재난의 영향을 받은 주민들 간에는 새로운 상호작용이 발달하게 된다. 예를 들어 단순화되고 불완전하며 심지어 부정확한 정보에 근거한 소문 속에서 주민들은 나름대로의 특정한 것을 선택하게 되는 것이다. 이처럼 재난의 상황 하에선 기존의 관료적 규범과는 다른 새로운 규범이 생기게 된다.

재난의 발생 이후의 관련 기관들 간의 관계에서 비롯되는 복잡성은 두가지 점에서 살펴 볼 수 있다. 우선 재난발생이전과 비교할 때 재난발생이후의 단계에서 재난관리행정의 경계자체가 확대된다. 둘째 재난발생이후의 단계에선 기존의 위기관리조직의 개입범위가 축소된다. 따라서 예방·완화단계에서와는 달리 복수의 기관이 참여하게 되고 그에 따라 관련기관들 간의 권한 설정, 역할분담, 조정의 문제가 야기된다.

마. 재난 및 사고관련 이론

먼저, 사고가 누적되면 재난으로 발현될 가능성이 크므로 사고의 원인에 관한 이론을 고찰할 필요가 있다. 사고의 원인을 초기에 막는다면 재난은 발생하지 못할 것이기 때문이다. 5만 건의 사고통계를 분석한 하인리히(Heinrich)의 연구결과에 의하면, 상해가 전무하였거나 극히 미미한 상해가 수반된 사고가 중경상을 합친 사고보다 10배나 더 많다고 한다. 이를 '재해의 피라미드 모형'으로 설명하면, 적어도 300번 이상 아슬아슬하리만큼 불안전한 행동을 반복하던 사람이 경상(輕像)도 입게 되고 때로는 중상(重像)을 입거나 잘못하면 사망에 이르게 된다는 것이다.(1:29:300, 하인리히의 법칙)

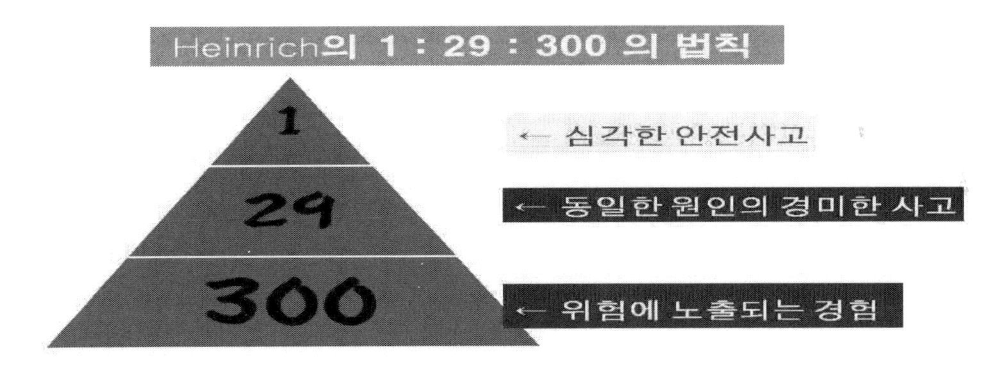

<그림1. 하인리히의 재해 피라미드 모형>

사고원인을 크게 구분하면 인적요인(Human factor)과 물적요인(mechanical factor), 환경요인(environmental factor)으로 구분할 수 있는데, 사고의 88%는 인적요인에 기인하고 나머지

10%가 불완전한 물적요인에 의한 것이며, 불가항력으로 인한 것은 단지 2%에 불과하다고 한다(Heinrich, 1980), 인적요인으로는 연령, 성별, 태도 및 심리적인 상태, 행동의 특성 차이 등이 속한다.

1) 인적요인

가) 사고를 유발하는 인적요인

안전관리는 개인의 성격 및 태도와 깊은 연관이 있으므로 인간적 요인을 제어하기 위해서는 각 개인의 태도를 안전한 방향으로 변화시켜야 한다. 보통 어떤 사람에게 빈번히 사고가 발생하는 경향이 있으면 그 사람의 행동과 사고 사이에 어떠한 인간관계가 존재하는 것으로 볼 수 있으며, 사고가 일어날 수 있는 상황을 조정 통제하지 못하는 신체 및 정신적 결함 때문이라고 볼 수 있다. 이러한 경우 인적요소의 조정이 사고의 경감에 기여할 수 있다.
고의로 일으키거나 불가항력적인 상황에서의 잘못을 에러라 하지 않는다. 알고 있고, 하면 되고, 하려고 하였으나 실수로 할 수 없었던 상황을 에러라고 한다.

(1)주의력

주의란 어떤 목적을 위해 행동할 때 의식을 집중하는 심리상태를 말하고, 부주의란 목적으로부터 이탈하는 심리적, 신체적 변화를 말한다. 실수를 없애는 데 있어서 주의의 집중과 주의의 확장을 잘 조화시키는 것이 매우 중요하다. 인간은 주의를 하는 특성이 있으며, 주의를 집중하는 경우에는 주의의 범위가 좁아지고, 주의의 범위를 확장하면 주의력이 떨어진다. 따라서 이 2가지 요소를 적절히 조화해 나가는 것이 필요하다. 안전심리와 관련된 주의력의 특성은 다음 3가지로 요약할 수 있다.

①주의력의 중복 집중 곤란
주의는 동시에 2개 방향에 집중하지 못한다.(선택성)

②주의력의 단속성
고도의 주의력을 장시간 지속할 수 없다.(변동성)

③주의력의 방향성
한 지점에 주의력을 집중하면 다른 곳의 주의력은 약화된다.

따라서 주의를 집중하는 것은 좋은 태도이지만 반드시 최상의 결과를 낳는다고 할 수는 없다.

(2) 의식 수준

일반적으로 의식의 수준을 대뇌생리학에서는 표와 같이 5단계로 구분하고 있다. 일상의 정상적인 작업은 거의 레벨 2의 상태로 처리되기 때문에 레벨 2의 상태에서도 실수를 하지 않도록 안전관리상의 배려를 할 필요가 있다. 비정상적인 상황에서는 스

스로 레벨 3으로 전환할 필요가 있다. 인간의 의식 수준이 낮아졌을 때 실수를 하기 쉽고, 긴장이 저하되면 기능도 저하되어 여러 가지 불쾌한 증상을 일으킴과 동시에 사고 경향이 커진다. 이는 재난의 발생과 파급뿐 아니라 적절한 재난관리에도 영향을 준다. 주의력을 유지할 수 있는 긴장 수준은 다음과 같은 사항으로 요약할 수 있다.

<표5. 의식 수준의 단계>

레 벨	내 용
LEVEL 0	무의식, 실신 상태이다. 주의력은 전무하며, 신뢰성 또한 전무하다.
LEVEL 1	술에 취해 있을 때, 피로할 때, 의식이 둔한 상태, 부주의한 상태이며 에러가 일어나기 쉽다.
LEVEL 2	안정을 취하고 있을 때와 같이 게을리하는 의식상태. 주의는 전향적으로 작용하지 않으며, 예측이나 창조적인 아이디어를 기대할 수 없다.
LEVEL 3	명쾌한 의식상태이며, 적극적인 활동상태에서 주의력이 미치는 범위가 넓고 거의 에러가 일어나지 않는다.
LEVEL 4	긴장이 과대하거나 감정이 고조되었을 때의 의식상태이며, 주의력은 하나의 목표 지점에 집중되며, 올바른 판단을 하지 못한다. 에러율이 크다.

① 피로 시의 긴장 수준

피로한 상태에서는 긴장이 저하되기 쉽지만 그 정도는 크지 않으며 적어도 일을 할 수 있는 범위 내에서 그치는 것이 보통이다.

②이완 시의 긴장 수준

일반적으로 긴장이 저하된다.

③하루의 생리적 리듬에서의 긴장 수준

24시간 동안 생리적 리듬은 낮에는 높고 밤에는 낮게 나타난다. 야간에 긴장이 저하되었을 때 수면을 취한다.

④의식이 희박할 때의 긴장 수준

졸음 등으로 인한 의식 상실의 시기로서 긴장 수준은 제로이다. 그러나 의식을 각성시킬 수 있다.

⑤의식 상실의 긴장 수준

내과적 질환, 뇌졸중 등에 의하여 생기며 간단한 방법으로 의식을 되돌릴 수 없다.

2) 물적요인

사고에 있어서 물적요인이 단독적으로 작용하여 사고를 내는 예는 거의 드문데도, 우리는 사고가 난 뒤에 흔히 어떤 물적요인으로 사고가 발생했다는 비판을 한다. 예를 들면, 비행기 엔진 고장에 의한 사고라든가 자동차의 기계적 결함에 의한 사고의 경우 물적요인의 책임에 대하여 논의하게 된다. 이를 방지하기 위해서는 기술적, 공학적 발전과 계속된 자체 내 검사(quality control)에 의해서 기계를 안전하게 생산하는 것이 중요하며, 소비자운동으로 리콜제도(recall system)를 활용하는 것이 바람직하다.

3) 환경적 요인

환경적 요인은 매우 많은데, 자동차에 있어서는 도로 사정이나 비 혹은 눈이 오는 날씨 등이 사고와 관련된다.

작업장이라면 미끄러운 바닥이라든지 초고속의 장비 등이 환경적 요인이 될 수 있다. 환경적 요인은 인적요인, 물적요인과 더불어 사고를 일으키는 촉매역할을 하기도 한다. 다수의 사고가 인간의 불안전한 행동에 직접적으로 기인된 것이라고 할 수 있지만 불안전한 환경에서도 비롯된다. 따라서 사고에 대비하여 안전한 환경에 대한 올바른 교육과 관심, 안전한 기계와 장비의 사용, 그리고 환경관리는 사고를 줄이는 효과적인 수단이 될 수 있다.

안전사고가 발생하는 이유와 원인의 연쇄반응 등에 관한 이론적 고찰로서 하인리히의 도미노이론과 최근 버드의 이론이 있다.

4) 하인리히의 도미노이론

사고의 원인이 어떻게 연쇄반응을 일으키는가에 대하여 설명하고자 할 때 흔히 하인리히의 도미노이론을 드는 경우가 많다. 하인리히는 안전사고의 원인에서 발생에 이르는 전 과정을 크게 5단계로 다음과 같이 정리하였다.

Heinrich의 도미노 이론

1단계 – 사회적 환경과 유전적 요인(기초원인–간접)
2단계 – 개인의 성격상의 결함(2차원인–간접)
3단계 – 불안전한 행동과 불안전한 상태(1차원인–직접)
4단계 – 사고(재해)의 발생
5단계 – 인명의 피해와 재산의 손실

<그림2. 하인리히의 사고 도미노 이론>

이상 5단계의 계열을 도미노에 비유한다면 각 요소는 상호 밀접한 관련을 가지고 일렬로 나란히 서 있기 때문에 한쪽에서 쓰러지면 연속적으로 모두 쓰러지는 것과 같이 사고발생은 선행 요인에 의해서 일어나고 이들 요인이 겹쳐서 연쇄적으로 생긴다는 것이다.

예를 들어 설명하면,
①도미노 : 개인의 선천적 요소 및 성장과정에서 몸에 배인 것들
②도미노 : 개인의 결함을 형성하고, 그 개인적 결함이
③도미노 : 불안전한 상태 및 불안전한 행동으로
④도미노 : 안전사고가
⑤도미노 : 인명과 재산의 손실

즉 하인리히 이론에서는 하나의 요인이라도 제거하면 연쇄적 진행은 저지할 수 있기 때문에 재난이 일어나지 않는다는 것이다. 예시에서 안전관리 활동에 의해 제거할 수 있는 것은 ③의 불안전한 상태 및 불안전한 행동이다. 따라서 사고, 재난을 예방하기 위해서는 불안전한 상태 및 불안전한 행동 둘 다를 모두 없애지 않으면 안 된다는 것이며, 가장 조정하기 용이하다.

<그림3. 하인리히 도미노 이론의 제3단계>

5) 프랭크 버드의 최신 도미노 이론

버드(F. Bird)는 손실제어요인이 연쇄반응의 결과이며 이로 인해 재해가 발생한다는 연쇄성이론을 제시하였다. 재해는 불안전한 행동 및 상태로서 하인리히의 연쇄이론에서도 가장 중요한 대책사항으로 취급된 직접적인 원인(징후)이다. 그러나 버드는 직접 원인을 제거하는 것만으로는 재해는 다시 발생한다고 주장하였다. 따라서 버드는 직접원인의 배경인 기본원인을 반드시 제거해야만 재해를 예방할 수 있다고 강조했다. 버드는 17만 5천여 건의 사고를 분석한 결과 1(중상) : 10(경상) : 30(무상해) : 600(무상해·무사고 고장)의 비율로 사고가 발생한다는 이론이다.

6) 4M이론[2)]

미국에서 개발된 초기의 재해예방프로그램의 내용은 안전에 관한 3가지 E(Engineering, Education, Enforcement)가 필요하다고 명시했다. 이 3가지 E는 산업재해가 (1)기계·설비적 또는 물리적으로 부적절한 환경, (2) 지식 또는 기능의 결여, 부적절한 태도, (3) 관리의 부적정 중 어느 한 가지가 주된 원인이 되어 발생한다는 것을 전제한 것으로, 오랫동안 재해예방프로그램의 기초가 되어왔지만, 재해발생의 메커니즘(Mechanism)를 간과하고 있다고 하여 현재는 잘 활용되고 있지 않다.[3)]

이것을 대신하여, 안전보건을 과학적으로 추진하기 위해서는 과학적으로 사고 원인을 분석하는 것이 필요하다는 관점에서 많은 연구가 이루어져 왔는데, 세계에서 널리 활용되고 있는 재해분석의 방법에서 가장 유효하다고 말해지고 있는 것으로, 미국공군이 개발하고 미국국가운수안전위원회(National Transportation Safety Board)가 채용한 4가지 M(이하, 4M)방식이 있다. 이 분석은 재해라고 하는 최종결과에 중대한 단서를 가지고 있는 사항 모두를 시계열적으로 적출하여 이들의 연쇄관계를 명확히 한 것으로, 키워드로서 Man(인간), Machine(기계설비), Media(매체), Management(관리)의 4가지의 키워드를 사용한다.

4M 모델은 1940년 T.P Wright가 3가지의 M(Man, Machine,

---

2) 소방청, 2021, 구조품질 강화 방안 연구 보고서, pp106~109

3) 김태범, 2016, "소방공무원의 현장안전 저해 요인에 관한 4M 분석", 아주대학교 환경대학원 석사학위 논문.

Media)을 제시하면서 시작되었으며 1965년경 Management가 덧붙여지면서 만들어졌다. 4M은 사고의 원인을 재해와 중대한 관계를 가진 사항의 전부를 조사하고 분석하여 그것들의 연쇄관계를 명백히 하고 그 결과를 검토하는 것에 그 목적이 있다. 4M은 E.A Gerome이 마지막 M(Mission)을 추가하면서 국외에서는 현재 5M 모델로 사용되고 있다.

Man이란 인간이 에러를 일으키는 휴먼요소를 가리킨다. 분석할 때 본인보다도 본인 이외의 사람, 즉 동료·상사 등 인간 환경을 중시한다. 직장에서의 인간관계, 집단의 존재 방식은 지휘·명령·지시·연락 등에 영향을 미치고 인간행동의 신뢰성과 관계가 있다는 생각에 기초한다.

Machine이란 기계·설비의 물적 조건을 말하지만, 기계·설비의 위험방호설비, 작업발판, 통로의 안전유지, 인간·기계(설비) 인터페이스의 인간공학적 설계 등이 포함된다.

Media란 본래 사람과 기계·설비를 연결하는 매체라는 의미이지만, 구체적으로는 작업에 관한 정보, 작업방법, 작업환경 등을 가리킨다.

Management란 안전보건법령의 철저, 사내 안전보건규정 등의 정비, 안전보건관리조직, 안전보건교육, 작업계획, 작업의 지휘감독 등의 관리를 말한다.

미국 NTSB는 우리나라 아시아나 항공사고의 조사에서 TV, 신문 등을 통해 일반인에게 널리 알려져 있지만, 조사분석에 이용되는 4가지 M은 항공기사고, 교통사고의 재해분석에만 유효한 방법은 아니고 인간이 개재하는 작업 모두에 적용할 수 있는 것이다. 그리고 사람(근로자)이 개재되어 있는 작업에는 자동차의 운전, 기계·설비의 조작, 건축공사, 하역 등이 있고, 이것에 동반하는 위험성에도 각각 특징이 있지만, 이 4가지의 M의 구체적인 내용을 각각의 작업에 적용하는 것에 의해 과학적인 조사분석이 가능하고, 그 결과를 토대로 구체적인 재해 예방대책의 결정도 가능하게 된다.

<표6> 4M분석기법

인간 (Man)	① 심리적 원인 : 망각, 걱정거리, 무의식 행동, 위험감각, 지름길반응 ② 생리적 원인 : 피로, 수면부족, 신체기능, 알코올, 질병, 나이 먹는 것 등 ③ 직장적 원인 : 직장의 인간관계, 리더십, 팀워크, 커뮤니케이션 등
장비 (Machine)	① 기계·설비의 설계상의 결함 ② 위험방호의 불량 ③ 본질 안전화의 부족(인간공학적 배려의 부족) ④ 표준화의 부족 ⑤ 점검 정비의 부족

정보환경 (Media)	① 작업 정보의 부적절 ② 작업자세, 작업동작의 결함 ③ 작업방법의 부적절 ④ 작업공간의 불량 ⑤ 작업환경 조건의 불량
조직관리 (Manage-ment)	① 관리조직의 결함 ② 규정·매뉴얼의 불비, 불철저 ③ 안전관리 계획의 불량 ④ 교육·훈련 부족 ⑤ 부하에 대한 지도·감독 부족 ⑥ 적성배치의 불충분 ⑦ 건강관리의 불량 등

4M이론에 의하여 과거 10년동안 대한민국 소방 구조대원이 수난구조 활동 중 순직한 사고의 문제점과 개선방안을 도출하면 아래와 같이 분석이 가능하다.

특히 타 직업과 비교했을 때 구조대원의 사고성재해는 돌발적으로 발생하기 때문에 단순 육하원칙으로 사고원인을 기술하는 것은 자료의 축적 면에서 일관성이 없을 가능성이 크다. 그러므로, 조금 더 구조적으로 접근하는 것이 요구되며 이에 4M은 비용 및 실현 가능성 면에서 가장 좋은 대안이 되는 평가 기법이라 여겨진다. 실례로, 네덜란드의 NLR에서 수행한 총 21개의 조사

결과로 4M은 구조적 분석에 적합하며 타 기법과의 조합 및 운용성 면에서 가장 높은 평가를 받은 바 있다.

<구조대원 순직사고사례의 4M분석>

1. 인적(man)측면

4M분석에 의한 인적(man)측면은 심리적 원인, 생리적 원인, 직장적 원인으로 구분하여 정리하였다.

가. 심리적 원인

현장안전의식부족과 지침 미숙지 및 미이행에 의한 안전사고비중이 높게 분석되었으며, 도출된 주요원인별 대응방안을 기술하면 다음과 같다.

1) 대원의 주관적인 판단착오

수난구조 활동 중의 주관적 판단착오에 의한 사고의 개선방안으로는 SOP숙지 및 교육훈련을 강화하는 방안이 있으며, 특히 수중훈련시 SOP를 숙지하도록 하는 방안이 고려될 수 있다.

2) 지침 미숙지 및 지침 미이행

대응방안으로는 지침 숙지를 위한 교육 및 평가제도, 인센티브 제도의 도입이 필요하다. 구제적인 예시로는 깊은 물 잠수의 안전 지침 숙지 및 준수, 계곡 급류지역 수로관 수난구조시의 안전 지침 숙지를 위한 교육과 평가제도의 도입이 필요하다.

3) 현장안전의식부족

대응방안으로는 안전의식 함양 방안 마련이 필요한데, 구체적으로는 현장안전의식 평가 및 환류시스템 마련, 안전의식 사례교육 확대(구조대원 특화 사례교육), 구조 활동 위험성 평가제 도입, 대심도 잠수시 안전수칙 관련 사례교육실시, 사전 현장안정평가 후 구조활동 전개하는 시스템 구축등이 필요하다.

나. 생리적 원인

생리적 원인측면에서는 현장안전사고에서 피로, 집중력 저하 및 질병의 원인이 가장 높은 비율로 분석되어 구조현장에서의 피로감 및 집중력저하문제에 대한 대응방안이 안전사고를 막는 중요변수임을 알 수 있었으며, 개선방안을 제시하였다.

1) 피로, 집중력 저하 및 질병

대응방안으로는 피로감을 최소화 할 수 있는 교대근무체계등 근무환경 조성, 구조대 인력확충, 구조대 회복지원차량 운영, 특정대원에게만 업무가 집중되지 않도록 역할배분, 피로감을 최소화 할 수 있도록 장시간 수중 인명 검색 시 휴식 및 교대 의무화, 수난구조 및 훈련 전 대원 건강상태 및 피로도 체크 의무화

등의 방안이 도출되었다.

2) 신체기능의 저하

강인한 신체기능의 유지를 위한 체력관리프로그램의 개선이 요구되었으며, 특히 소방공무원의 고연령화에 의한 체력저하 문제를 해결하기 위해서는 경력관리프로그램 도입을 통한 신체기능에 맞는 순환근무시스템 구축, 첨단 소방장비 도입 및 활용방안을 마련하는 방안이 도출되었다.

다. 직장적 원인

직장적 원인측면에서는 현장지휘관의 역량 및 리더십문제와 현장 안전점검관의 역량 부족 문제가 높은 비율을 차지하였으며, 이에 대한 개선방안을 주로 제시하였다. 또한 상황보고상의 의사소통문제도 사고사례에서 문제점으로 제기되어 이에 대한 개선책도 제시하였다.

1) 현장 지휘관의 역량 및 리더십 문제

현장 위험요소, 대원 안전관리를 고려하지 않은 성과에 치중한 무리한 현장 활동 작전 수행이 안전사고로 이어지는 경우가 많았으며, 이에 대한 대응방안으로 구조현장에 적합한 역량있는 현장지휘관 배치 및 지휘관 리더십 교육실시가 필요하였다. 구체적으로는 현장지휘관 자격 기준 강화, 지휘관은 현장 안전평가 결과

대응능력 초과시 구조활동을 금지하고 지원 요청을 의무화하는 방안등이 도출되었다.

2) 현장 안전점검관의 역량 부족

현장 위험요소, 대원 안전관리를 고려하지 않고 현장안전점검관이 형식적인 업무만 수행할 경우에 순직사고가 발생하는 것으로 나타났으며, 이에 대한 대응방안으로 전문성과 열의 있는 현장안전점검관의 배치 및 역량강화 프로그램 실시가 필요하며, 구체적으로는 현장 위험요소 파악 및 개인안전장비 착용 등 안전관리 절차 이행, 활동 중 위험요소 추가 발견시 현장 활동 중지를 통한 대원 안전 확보, 수난구조활동 및 훈련시 팀별 안전관리담당자 지정 및 운영방안이 도출되었다.

3) 상황보고상의 의사소통문제

대응방안으로 상황보고의 중요성 교육 및 효과적 상황보고 교육을 실시할 필요가 있었으며, 구체적으로는 잠수 활동 시작과 종료 시에 선언 및 확인절차를 수행하는 방법 등이 도출되었다.

2. 장비(machine)측면

장비측면에서는 대원 사고현장에서 대원이 장비자체를 착용하지 않거나 활용할 장비가 아직 도입되어 있지 않은 문제인 장비

자체의 부재문제와 장비 작동에 대한 교육훈련의 부실문제, 미숙한 장비작동의 주요 원인으로 분석되어 이에 대한 개선방안을 제시하였다.

가. 장비자체의 부재

대응방안으로 변화하는 구조현장에 적합한 장비의 도입, 안전확보 장비기준마련 및 착용 의무화가 필요하였다. 구체적으로는 수난구조활동시 개인별 구명조끼 착용, 구명 재킷 표준규격 및 보유기준 마련 및 착용 의무화, 수중훈련 중 신체이상신호 감지장치 구비, 구조정 선외기 안전장치 설치, 잠수 활동 시 하강줄 및 잠수부표 설치, 흄관 통과시 두부 타격을 견딜 수 있는 보호장비 도입 등이 도출되었다.

나. 장비 작동 표준화의 부실 및 장비에 대한 교육훈련의 부실

대응방안으로는 장비별 표준 매뉴얼 작성 및 주기적 숙지훈련 실시가 필요하였다. 구체적으로는 기상악화 상황과 수난구조시에 필요한 장비와 사용법에 대한 교육훈련 실시, 구명 재킷 및 위기상황하의 장비 활용 방법 숙달 훈련 실시, 수난구조에 필요한 수난구조장비의 표준화 작업, 잠수 활동 중 보트 선외기 작동금지 훈련의 실시가 도출되었다.

다. 미숙한 장비작동

미숙한 장비작동의 경우에는 장비작동 숙지교육시 도제식 교육방식 및 멘토링 제도등의 도입의 검토가 필요하였다. 구체적으로는 과도한 웨이트(20kg) 착용관련 대심도 잠수시의 장비활용사례 교육, 수난구조장비 주기적 숙지훈련실시, 개인안전장비 착용방법 교육 및 착용상태의 현장안전담담관의 최종점검 의무화등이 도출되었다.

3. 정보환경(media)측면

정보환경 측면에서는 구조현장에 대한 정보부족과 구조 환경조건의 불량이 가장 큰 문제와 원인으로 분석되어, 구조대원에게 구조현장과 상황에 대한 충분한 정보 제공을 통하여 불량한 구조환경에 대한 위험성을 인지하여 현장안전사고를 방지할 수 있는 방안 등을 도출하였다.

가. 정보부족의 문제

수난구조활동에 대한 정보부족의 문제에 대한 대응방안으로는 구조 활동 환경에 대한 충분한 정보제공 및 주기적 도상훈련실시, 해당 구조현장의 위험요인 사전파악, 4차산업기술을 활용한 실시간 정보제공기술 활용(AR, IOT기술)등의 방안이 도출되었다.

나. 구조활동의 잘못된 자세와 행동

대응방안으로는 소방훈련 및 위험예지훈련등을 통한 구조 활동 공간에 대한 평상시의 충분한 정보제공, 현장활동시 2인1조 대응을 작업종료시까지 유지, 이상 생체신호 발생시 같은 분대원에게 자동통신이 수신되도록 설계하는 방안이 도출되었다.

다. 구조활동의 부적절한 계획 및 절차

해당 원인의 경우에는 대표적인 사례가 수난사고 대응 적정 근무인원의 미배치가 되는데, 이에 대한 대응방안으로는 구조활동 계획 및 절차에 대한 검토 및 보완이 필요하며 구체적으로는 적정 인력 및 장비 배치가 필요하게 된다.

라. 구조환경 조건의 불량

급류지, 폭우, 대심도 수난구조상황, 기록적 폭우 및 불어난 댐에서의 수난구조활동, 급류 상황에서의 수중보, 노면 결빙, 강풍 및 야간시간 등의 환경을 의미하는데, 대응방안으로는 구조환경 개선 노력이 요구된다. 구체적으로는 불량한 구조 환경에 대한 위험성 인지 및 대처방안마련, 유속이 느려진 후 구조수행 등 안전거리 확보 및 급류구조 전문교육 확대, 개인안전보호장비의 철저한 착용, 응급상황시 대응 비상약품비치등 진입전 위험요인 검토 절차 수행 방안이 도출되었다.

4. 관리(management)측면

관리적 측면에서는 구조현장별 대응 매뉴얼의 부재와 부실, 현장안전교육의 부실문제, 대원들에 대한 지도 및 감독 부족문제, 구조대 인력부족문제가 주요원인과 문제로 분석되어 이에 대한 개선방안을 제시하였다.

가. 현장안전관리 계획 및 매뉴얼의 부재 및 부실

대응방안으로 구조대원 현장안전관리 규정 제정, 현장안전관리 계획 및 매뉴얼의 제정 및 전파가 필요하며, 구체적으로는 급류지역 수난구조시 매뉴얼의 보급
계곡 급류지역 수로관 수난구조시 매뉴얼의 보급, 수난구조훈련시 안전사고 대응매뉴얼의 보급, 위험요소가 있는 교육훈련시 위험성 평가 사전답사 의무화, 잠수에 앞서 위험요소 제거를 위한 잠수계획 수립, 위험요소가 있는 교육훈련시 안전계획 수립, 잠영훈련 중 2인1조 버디시스템 도입 등의 방안이 도출되었다.

나. 현장안전교육의 부재 및 부실

대응방안으로 현장안전교육의 내실화, 돌발상황 대비 현장 안전판단 훈련 실시, 현장사고 유형별 전문안전교육 프로그램 구성이 필요하였으며, 구체적으로는 구조유형별 특화된 현장안전교육의 내실화, 급류지역 수난구조 전문교육 편성, 깊은 물 잠수 수난구조 전문교육과정 마련, 폭우 상황하의 수난구조상황 현장안전교육 실시, 계곡 급류지역 수로관 급류지역 수난구조 전문교육 편성방안이 도출되었다.

다. 대원들에 대한 지도 및 감독 부족

대응방안으로는 현장지휘관 및 현장안전점검관의 평가 후 명령에 의한 건물진입 및 구조 활동 수행등 현장 활동의 명령통일의 원칙 확립 방안이 도출되었다.

라. 구조대 배치 및 역할분담상의 오류

대응방안으로 구조대 배치 자격기준 재정비 및 활용 및 구조대 내 역할분담의 기준마련 및 투명성 확보가 필요하며, 구체적으로는 위험요소가 있는 수난구조현장 활동 시에는 해당분야 전문교육 수료자가 수행하도록 하는 방안도 도출되었다.

마. 구조대 인력부족

구조대 인력부족은 현장안전사고의 근원적 원인이 되고 있어, 지속적 인력확충(경력경쟁채용 인원확대등)과 인력보충을 통한 동일분야 출동대 우선 출동 조치 (구조현장에는 구급대원이 아닌 전문성 있는 구조대원이 출동할 수 있도록 조치) 방안이 강구되어야 한다.

7) 도미노이론과 재난 예방·대응의 차이

많은 재난상황에서 재난의 예방 개념은 도미노이론이 적절하게 작동한다. 도미노이론은 적절한 단계에서 파급을 막을 수 있는 장치를 마련하면 사고, 혹은 재난까지 이어지지 않는다는 개념이다. 즉 한 군데만 방어벽을 사용하여 막아도 도미노 현상은 더 이상 이어지지 않는데 이는 소위 방어벽의 개념이라고 할 수 있다. 하지만 재난은 산업장에서 하나의 공정과 달리 원인이 매우 많고 원인 자체도 나뭇가지나 거미줄처럼 서로 엮여서 하나를 막는다고 도미노 현상이 나타나지 않으리라 기대할 수 없다. 재난 대응의 경우 최종 목표가 인간과 사회의 안전 유지라면 대응과정이 하나라도 부족하면 그 사슬은 연결되지 않는다. 이는 방어벽의 개념과 반대되는 사슬의 개념으로서 재난대응 시에 더 적용될 수 있는 상황이다.

8) 사고의 연쇄모형

사고의 원인을 연쇄모형(sequence of accident)으로 설명할 때 '도미노이론'을 적용한다. 즉, 사고를 낸 사람 이 처한 환경과 내력(genetic and social environment), 개인의 심신결함(fault by person), 불안전한 상태와 불안전한 행동(unsafe status and unsafe act), 사고(accident, undesired events), 인명과 재산 피해(jnjury or damage)라는 5가지 골패를 일렬로 세워놓고 어느 한 골패가 쓰러지면 연쇄적인 반응을 일으켜 사고가 발생하는 것이다.

① 환경과 내력

사람이 사고를 내는 요인으로 사회적 환경과 선천적이고 유전적인 요소를 1차 요인으로 생각한다. 예를 들면, 성질이 포악하고 신경질적이며 과격한 성격의 소유자나 가정환경의 영향으로 조심성이 없다든지 경거망동 또는 인내심의 부족 등 단시일 내에는 고칠 수 없는 유전적인 특성을 가진 경우 사고가 쉽게 일어날 수 있다.

② 개인의 심신결함

사고를 쉽게 유발하는 요인으로 성장과정에서의 개인적인 마음과 신체의 결함을 든다. 마음의 결함은 지능 저하, 우울증, 사회를 저주하는 공격적인 성격 등을 의미하고, 신체적인 결함은 건강상태의 악화 또는 질병의 후유증으로 인하여 청력, 시력에 장애가 오거나 불구자가 되는 것을 의미한다.

③ 불안전한 상태 및 행동

불안전한 상태는 위험에 처해 있는 것을 뜻하며, 불안전한 행동은 안전수칙을 무시한 위험한 행동을 뜻한다. 즉 혼잡하며 어두운 길은 불안전한 상태이고, 이곳에서 과속이나 난폭한 운전을 한다면 불안전한 행동이 된다. 이러한 상태나 행동은 사고를 쉽게 유발한다.

● 불안전한 상태

사고의 직접적인 원인이 되는 불안전한 상태란 인적·물적 요인에 의하여 이미 조성되어 있는 제반 위험한 환경을 말하며 다음의 유형이 있다.

i. 위험한 방법과 절차
ii. 안전복, 장구, 개인 보호장비의 결함
iii. 장비의 결함
iv. 위험한 외부환경
v. 위험물의 존재
vi. 공공의 위험

● 불안전한 행동

인간의 불안전한 행동은 행했지만 하지 말았어야 했거나 다르게 했어야 하는 행동이다. 불안전한 행동을 하는 사람은 자신의 위험한 행동을 인식하지 못하고 있거나 자신의 행동이 타인에게 어떠한 영향을 미칠 것인가에 대해 민감하게 인식하지 못하는 경우가 많아 당사자 혹은 주위 사람이 부상을 당하기 쉽다.

※ 불안전한 행동의 유형
- 불안전한 위치와 자세의 선정
- 장비, 기구, 도구 등의 부적절한 사용
- 개인 보호장비의 부적절한 사용과 착용
- 장비의 임의 사용 및 조작
- 주의 및 경계의 태만
- 손이나 신체부위의 부적절한 사용
- 부적절한 작업 및 활동의 속도
- 보호장비의 부적절한 조작
- 안전장구의 부적절한 조작

일반적으로 불안전한 행위의 요인은 다음과 같은 경우에 일어난다.
- 의식에 착오가 있었던 경우
- 의식했던 대로 행동하지 않는 경우
- 의식 없이 행동 했을 경우

④사고

환경과 내력, 개인의 심신결함, 불안전한 생태와 불안전한 행동으로 말미암아 발생하는 것을 의미한다.

⑤인명과 재산 피해

사고로 인해서 많은 인명과 재산의 피해를 입는다. 세워진 골패를 왼쪽에서부터 오른쪽으로 쓰러뜨릴 때 연쇄반응을 일으키게 되는데, 이때 사고 직전에 어느 하나의 골패라도 제거해 준다면 사고까지 연결되지 않으며 사전에 예방할 수 있다.

사고예방 교육은 바로 이런 원리에서 불안전한 상태와 불안전한 행동을 제거하는 것이며, 개인의 심신결함도 최소화할 수 있는 노력을 뜻한다. 또한 불우한 환경과 선천적인 결함을 지닌 사람에게는 국가적인 보호정책을 통하여 사고대책이 강구되어야 한다.

8) Benner의 사고모형

첫째 모형은 단일원인모형으로, 모든 사고가 단 하나의 원인에 의해 직접적이고 총체적인 결과를 가져온다는 것을 의미한다. 예를 들면, 자동차 충돌이 과속에 의해 일어났다고 보는 것으로 가장 단순하고 널리 받아들여지는 모형이다.

둘째 모형은 사고란 시초부터 종결에 이르기까지 다양한 요인들이 무작위적인 상호작용을 통해 일어난다는 것인데, 이 모형은 흔히 받아들여지지 않은 모형이다.

셋째 모형은 사고에 대한 구체적인 접근방법으로, 사고를 상해 이전 단계(preinjury), 상해가 일어나는 단계(injury), 상해가 발생한 후의 단계(post-injury)로 나누고, 이들 단계를 거치는 동안 인간과 환경 간에 특수한 상호작용이 일어난다는 것을 의미한다.

① 상해 이전 단계

상해 이전 단계란, 에너지원을 이용할 경우 그 에너지원에 노출되는 것으로, 예를 들면 전기톱 사용은 전기·운동에너지에 노출되는 것이고, 자동차 운전은 운동·열에너지에 노출되는 것이며, 도보는 운동에너지에 노출되는 것이다. 이때 자연재해에 대한 상해 이전 단계는 홍수지대나 지진 혹은 화산지대에 집이나 도시를 건설하는 것으로 설명할 수 있다.

② 상해 단계

상해 단계란 방출된 에너지가 사람 또는 재산에 전이되어 손해를 일으키는 단계로서 많은 요인들이 상해 정도를 결정한다. 예를 들면 에너지의 규모, 분포된 표면적, 에너지가 전달된 시간간격 등에 의해 상해 정도가 결정되는 단계이다.

③ 상해 이후 단계

상해 이후 단계는 생리적 생태조절유지를 되찾으려는 행동에 의해 궁극적 결과가 결정되는 단계로서, 치명적이지 않은 상해를 입었을 경우는 상해 이후의 단계에서 주의를 기울여야 한다.

많은 사람들은 상해의 내재적인 심각성 때문이 아니라 잘못된 응급처치나 회복을 위한 치료의 부적합성과 비효율성 때문에 사망하거나 영구정인 장해를 겪게 된다.

Benner의 셋째 모형은 각 단계에 적합한 예방대책을 수립할 수 있다는 점에서 사고예방을 위한 안전교육을 실시할 때 활용성이 높은 모형으로 평가되고 있다.

2. 재난관리 일반이론

가. 광의의 재난관리와 협의의 재난관리

1) 광의의 재난관리

재난관리는 재난통제에 비해 좀 더 넓은 접근방법을 의미하는 것으로 인간에게 피해를 끼칠 수 있는 폭발적 사건의 위험을 통제하는 것으로 이해된다. 이러한 의미에서 재난관리(disaster management)란 사전에 재난을 예방하고 재난에 대비하며, 재난 발생 후 그로 인한 물적·인적 피해를 최소화하고 본래의 상태로 시설을 복구하기 위한 모든 측면을 포함하는 총체적 용어로 재난에 대한 위협과 재난으로 인한 결과를 관리하는 것을 말한다.

이러한 총체적 의미로서의 재난관리는 편의상 완화관리단계(Mitigation management Phase) - 준비계획단계(Preparedness Planning Phase) - 대응단계(Response Phase) - 복구단계(Recover Phase)로 구분되며 광의의 재난관리는 이러한 4단계의 국면에 걸쳐 순차적인 총체적 관리를 위해 하나의 메커니즘을 구성하여 관리하는 것이다.

2) 협의의 재난관리

광의의 재난관리의 과정 중 완화관리단계와 복구관리단계는 대체로 완만하며 긴급대응을 필요로 하는 관리 분야가 아니라는 점에서 일반 행정관리와 크게 다를 바 없다. 따라서 일반관리와 구별되는 긴급관리의 특징을 갖는 단계는 대응단계라 할 수 있으며 일반적으로 재난대응계획상의 재난관리는 이와 같이 협의의 재난관리를 지칭한다. 즉 협의의 재난관리개념은 재난발생시 피해를 최소화하기 위해 혼란한 위기상황에 질서를 부여하는 대응 및 복구과정으로 일상적 비상대응기관들의 자원을 관리하고, 조직 간의 의사소통을 원활히 하며 체계적인 사고지휘체계를 구성함으로써 인적, 물적 피해를 최소화하기 위한 일련의 과정을 말한다.

3) 실정법상의 재난관리 개념

재난및안전관리기본법 제3조에서는 재난관리의 개념을 "재난의 예방·대비·대응 및 복구를 위하여 행하는 모든 활동"이라고 정의하고 있으므로 재난관리를 광의의 개념으로 해석하고 있다.

나. 재난관리의 모형

1) 페탁(Petak)의 재난관리 모형

재난관리의 과정은 상황에 따라 여러 단계로 나눌 수 있으나 일반적으로 재난발생시점이나 관리시기를 기준으로 구분해 볼 수 있다.

Petak은 재난관리과정을 재난의 진행과정과 대응활동에 따라서 재해 이전과 이후 즉, 사전재난관리와 사후재난관리로 나눈

뒤 시계열적으로 이루어지는 재해관리과정을 ① 재해의 완화와 예방 ② 재해의 대비와 계획 ③ 재해의 대응 ④ 재해복구의 4단계로 설명하고 있다.

이러한 4단계는 상호단절적인 과정이라기 보다는 상호순환적인 성격을 갖고 있으며 완화, 준비계획, 응급대응, 복구 등의 과정은 각 과정이 개별적으로 이루어지는 것이 아니고 시간적 활동순서일 뿐이며 따라서 각 과정의 활동결과 및 내용은 다음 단계의 활동에 영향을 미치며 최종의 복구활동의 결과 및 노력, 그리고 경험은 최초의 완화단계의 활동에 환류되어 장기적인 재난관리능력을 향상시키는데 도움을 주게 된다. 따라서 이러한 재난관리의 제과정이 하나의 관리체제 속에서 각각의 고유한 기능을 지니고 있는 하위체제로서 작용하게 되고 네가지 과정이 통합관리될 때에 효과적인 재난관리가 이루어질 수 있다. 또한 이러한 과정의 통합만이 아니라 재난관리의 총체성을 도모함으로써 재난관리에 참여하는 각종 기관 및 각급 정부의 조정과 통제 등 필요한 활동체제를 갖추는 노력이 필수적인 요소가 된다.

2) 맥롤린(David McLoughline)의 통합관리 모형

맥롤린(David McLoughline)은 조직의 생존을 위협하는 사건이나 조건을 재난으로 정의하고 미국의 재난관련 대응조직들이 수많은 공공 및 민간조직과 혼합되어 대응단계에서의 협조문제가 재난대응의 전통적인 문제로 반복되는데 관심을 가지고 미국의 통합재난관리는 연방, 주, 지방의 협조 하에 일련의 순환과정을

통해 인명과 재산을 보호하고 행정능력을 유지할 수 있다고 하면서 행정이 주가 된 재난관리의 모형을 제시하였다.

이 모형은 완화, 준비, 대응, 복구의 프로그램을 통해서 각 지방정부와 중앙정부가 인명과 재산 그리고 정부기능을 보호하기 위하여 협력해야 한다는 점을 중시한다.

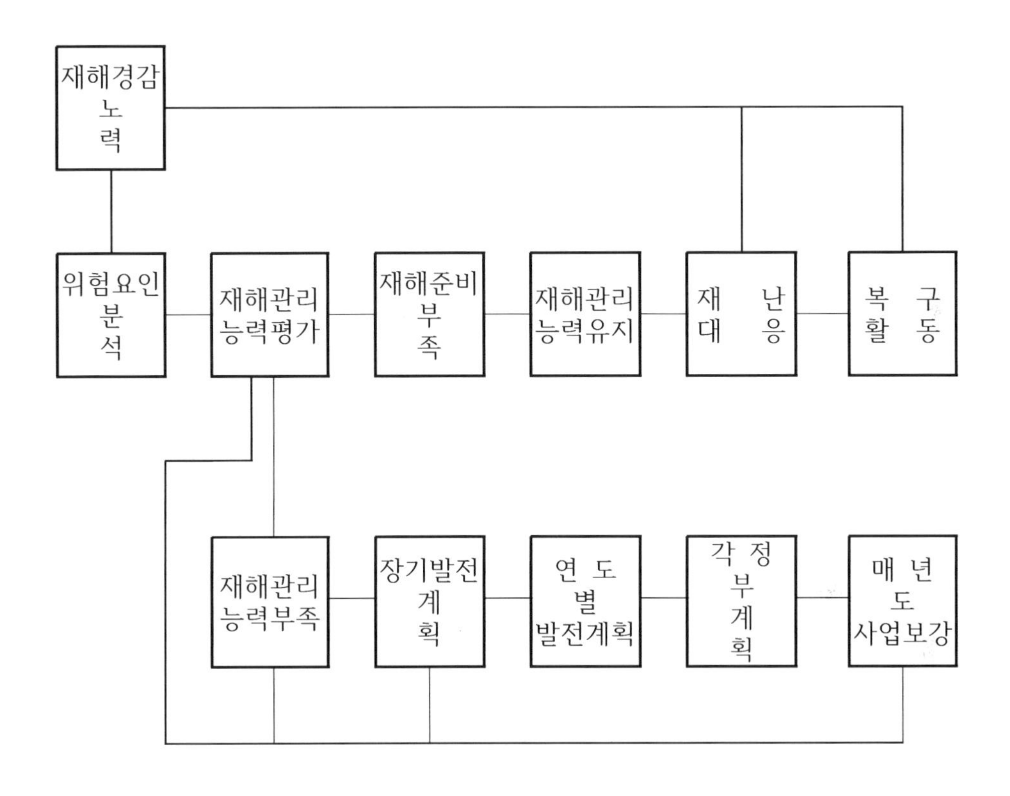

<그림 4> McLoughline의 통합적 재난관리 과정

다. 재난관리 단계별 내용

재난관리의 과정은 재난의 생애주기(Life-Cycle)에 따라 예방 및 완화, 준비, 대응, 그리고 복구의 4단계 과정으로 분류된다. 이러한 단계는 자연재해의 관리를 염두에 두고 분류한 것이지만 특성이 다른 인위적 재난의 관리, 폭동과 테러리즘 등 위기의 관리에도 적용될 수 있다. 재난관리 과정의 예방 및 완화(Mitigation), 준비(Preparedness), 대응(Response), 복구(Recovery)단계는 각 단계마다의 활동이 요구된다.

< 표 7 > 재난관리 단계별 활동내용

단계	재난관리활동의 내용
예방 및 완화단계	위험성 분석 및 위험지도 작성, 건축법정비제정, 재해보험, 토지이용관리, 안전관련법 제정, 조세유도
준비단계	재난대응계획, 비상경보체계구축, 통합대응체계구축, 비상통신망구축, 대응자원준비, 교육훈련 및 연습
대응단계	재난대응계획의 적용, 재해의 진압, 구조구난, 응급의료체계의 운영, 대책본부의 가동, 환자수용, 간호, 보호 및 후송
복구단계	잔해물제거, 전염예방, 이재민 지원, 임시주거지마련, 시설복구

1) 예방

재난을 경감시키고 재난 발생 이전에 재난 피해를 최소화시키려는 모든 활동을 말한다.

㉠위험성 분석 및 위험지도 작성
㉡건축법 정비 및 제정
㉢재난보험
㉣토지의 이용관리
㉤안전관련법 제정
㉥조세유도(경제적 수단)

2) 대비

사전에 준비·계획·교육·훈련을 통해 재난발생시 즉각적인 대응을 할 수 있도록 개인·단체·조직·국가에 의해 취해지는 제반활동을 말한다.

㉠재난대응계획 수립
㉡비상경보체계 구축
㉢통합대응체계의 구축
㉣대응자원의 준비
㉤교육과 훈련 및 연습

3) 대응

재난 발생 초기에 수행하는 제반활동 이며 피해 확산을 방지하기 위한 활동을 말한다.

㉠재난대응계획의적용

㉡재난 진압, 구조 및 구급

㉢주민 홍보 및 교육

㉣응급의료체계의 운영

㉤사고대책본부의 가동

4) 복구

재난으로 인한 피해를 재난 이전 상태로 회복시키는 활동을 말한다.

㉠잔해물 제거

㉡전염예방

㉢이재민의 지원

㉣임시주거지 마련

㉤시설복구

라. 분산관리 방식과 통합관리 방식

1) 분산관리 방식

재난관리의 분산관리방식은 1930년대 전통적 조직이론의 등장과 함께 합리성을 목표로 하는 조직이 전문화의 원리를 택하도록 하는 행정이론적 환경과 일치하는 시기에 생겨났다. 따라서 분산관리방식은 전통적 재난관리제도로서 재난의 유형별 특징을 강조하며, 재난의 종류에 따라 대응방식에 차이가 있다는 것을 강조하기 때문에 재난계획과 대응 책임기관도 각각 다르게 배정되어 관리하는 방식이다.

2) 통합관리방식

재난관리의 분산관리방식은 재난시 유사기관간의 중복대응과 과잉대응의 문제를 야기하였고 난해한 계획서의 비현실성과 다수기관간의 조정, 통제에 대해 여러 가지 반복되는 문제를 야기하게 되었다. 따라서 모든 재난은 피해범위, 대응자원, 대응방식에 있어 유사하며, 재난유형별 재난계획이 실제 재난상황에서 적응성이 거의 없다는 것이 제기되었다. 이에 따라 재난대응에 참가하는 모든 일상적 비상대응기관 단체들을 통합 관리함으로써 효과적으로 대응할 수 있다는 것이 통합관리 방식이다.

< 표 8 > 재난의 관리방식별 장단점 비교

구분	분산적 접근방법	통합적 접근방법
관련부처 및 기관	다수부처	병렬적 다수부처
책임 범위와 부담	책임 및 부담 분산	책임 및 부담 과중
정보정달체계	다양화	일원화
재난에 대한 인지능력	미약하고 단편적	강력하고 종합적
장점	·업무수행의 전문성 ·업무의 과다방지	·동원과 신속한 대응성 확보 ·인적자원의 효과적 활용
단점	·재난 대처의 한계 ·업무중복 및 연계 미흡 ·재원마련과 배분이 복잡함	·종합관리체계 구축의 어려움 ·업무와 책임의 과도와 집중성

3. 재난관리체제

재난관리체제(Disaster Management System)는 재난관리를 담당하는 조직으로 구성된 체제이며 재난발생이라는 환경에 대비하여 주민의 생명과 재산을 보호할 목적으로 상호 관련된 기관끼리 협조와 조정을 통하여 문제를 해결하려는 체제이다.

가. 재난관리체제의 목적

재난관리체제의 목적은 알려진 또는 알려지지 않은 위험(Hazards)으로부터 주민의 생명과 재산을 보호하는 것이다. 모든 정부의 기본적 존재이유는 주민의 생명과 재산을 보호하는 것이므로 재난관리행정체제는 가장 기본적인 정부기능을 담당하는 체제의 하나이다. 우리나라 헌법에도 " 국가는 재해를 예방하고 그 위험으로부터 국민을 보호하기 위하여 노력하여야 한다"(제34조 제6항)라고 명시하여 국가의 재해예방이 헌법적 의무로 규정되고 있다.

나. 재난관리체제의 특징

1) 복잡 · 연계성

재난관리체제는 자연적, 인위적 재난에 대응하기 위하여 존재하는 하나의 네트워크체제로서 구성요소들 간의 연계관계를 통하여 재난관리기능을 수행한다. 이러한 네트워크체제는 정부간 관계를 포함할 뿐만 아니라 이질적 분야의 조직들이 관여된다. 즉 지방정부 때로는 국제기구와 적십자사 등의 비정부조직, 그리고 사기업 등을 포함하는 광범위한 연계체제이다.

따라서 재난대응의 완전한 조직(재난관리 전범위의 임시조직)은 그 전체가 어떤 정점을 중심으로 완전히 계층화되기는 불가능하다. 왜냐하면 중심대응조직에 지원 또는 통합되는 각 기능별 지원조직은 각각의 계층제를 가지고 있으며 대응활동에 참가하는 구성원 또한 민간인에서 기술자, 전문관료 등 다양성을 띠고 있기 때문이다.

2) 체제경계의 유동성

재난관리행정체제의 경계는 매우 유동적이다. 재해발생 이전과 비교할 때 재해발생이후 단계에서 그 영역이 대폭 확장된다. 예방단계와는 달리 재해발생 이후에는 정책결정 뿐만 아니라 정책집행도 복수의 기관이 협력하여 이루어진다. 그러므로 재난관리체제의 전체 구성원들은 단일의 상관이 아니라, 여러 명의 직속상관 또는 기관을 갖는 반 격자 형태의 조직구조를 가진다. 사후관리를 위해 경계가 크게 확장된 재난관리체제는 목적이 완료됨과 동시에 경계가 축소되어 팀이 해체되거나 구성원들이 본래의 집단으로 돌아가므로 그 존속기간이 잠정적인 프로젝트 조직의 성격도 가지고 있다. 첫째 및 둘째의 특징과 관련하여 재난관리의 전 과정에서 여러 구성원들 간의 신속한 정보의 교환, 그리고 상호협조 조정 및 지휘통솔이 매우 중요한 과제이다.

3) 가외성

재난관리체제가 담당하여야 할 업무의 환경은 불확실성의 상황이 지배하고 있으므로 재난관리체제의 활동과 제반업무는 일반행정조직에 적용되는 경제적 능률성의 논리와는 대립되는 경계성(Alertness)의 원리에 따라 계획되고 평가되어야 하며 상당한 정도의 가외성(Redundancy)이 확보되어야 한다.

4) 일상적 대응능력의 열세

재난은 그 규모 면에서 극히 탄력적이다. 수명의 사상자만 존재하는 소규모 사고에서부터 수천, 수만의 사상자와 수천억원의 재산피해를 발생시키는 대 재난에 이르기까지 그 규모는 예측하기 어려우며, 대규모의 재난 시에는 항상 일상적 대응능력(소방과 같은 상설대응조직)의 열세성을 띤다. 이 경우 상설적 대응조직은 관련기능을 가진 주변자원을 임시로 보충·통합하여 대응하는 임시적 성격을 띤다. 이러한 특성 때문에 재난관리체제에 있어 대응계획과 훈련의 중요성이 강조된다.

다. 외국 재난관리체제

1) 미국

미국의 재난관리체제는 연방정부와 지방정부에 따라 다르다. 연방정부의 경우 FEMA(Federal Emergency Management Agency)에서 관리한다. FEMA는 1979년 대통령직속기관으로 설립하여 2003년 3월 국토안보부로 통합(임무는 이전과 동일, 대외활동시 FEMA 명칭 사용)되었다. 6개 국(局)(대응 및 복구국, 연방보험 및 피해경감국, 소방국, 대외협력국, 정보기술지원국, 행정 및 재정계획국) 2,500명으로 구성되어있으며 보스톤, 시카고, 달라스, 시애틀 등에 10개 지역사무소를 운영하고 있다. 지방정부의 경우 주정부 및 지방정부 자체적으로 재난관리기구를 별도로 구성·운영하고 있다.

FEMA의 주요임무는 국가적 재난관리 전략, 조정정책 제공 및 연구, 교육, 훈련이며, 세부사항을 보면 연방정부, 주정부, 지방정부, 자원봉사기관, 사기업체 등과 재난관리 협력을 강화하고, 모든 재해에 대비하는 종합적인 국가재난관리체계를 구축하며, 복구가 아닌 사전경감을 국가재난관리체계의 근간으로 설정, 신속하고 효율적인 대응, 복구체계를 구축하고 지방정부의 재해관리 능력을 강화하는 것이다.

재해재난관리를 유형별이 아닌 통합관리체계로 전담기구에서 관리하고 각 부처의 역할을 명기한 연방대응계획을 운영하고 있으며, 연방조정관 제도를 두어 재난현장에서 대통령의 대리인으로 활동하며 대응과 복구지휘를 담당 강력하고 전문적인 현장지휘체계를 구축하고 있다.

2) 일본

중앙정부의 경우 재난관리는 내각부에서 총괄하며 국토교통성, 소방청 등 지정기관이 지원하고 있다. 상설 방재관련 정부조직으로는 내각부 정책총괄관 방재담당 및 중앙방재회의가 있고, 지정중앙행정기관으로는 내각부, 국가공안위원회, 경찰청, 소방청, 금융청, 총무성, 우정사업청, 법무성, 외무성, 문부과학성, 문화청, 후생노동성, 원자력안전·보안원, 중소기업청, 국토교통성, 국토지리원, 기상청, 해상보안청, 환경성 등이 있다.

지방정부의 경우는 일차적으로 시정촌을 중심으로 이루어지며 각 도도부현에서 중앙정부의 정책을 반영하여 총괄 관리한다. 평소에는 방재계획 및 행정, 방재행정 전반 지도·조언 등의 업무를 수행하고 재해발생시 소방무선시설을 이용하여 응급대책, 복구대책 업무를 수행한다.

기능중심의 방재시스템으로 계획 및 운영은 국토교통성 등에서 수행하고 재해예방과 복구 등의 시행은 실무부서에서 예산을 확보하여 수행하며 실질적인 현장 활동은 소방, 경찰, 자위대가 중심이 되어 이루어 진다.

3) 영국

중앙정부는 전·평시와 자연재해로 인한 비상 상황시 총체적인 관리를 시행하는 중앙부서 없이 각 부서별로 고유 업무 수행하고, 지방정부는 지역비상위원회와 런던의회, 주와 구의 비상운영센터, 소방 등을 중심으로 실질적인 재해·재난집행 업무를 수행하고 있다.

전담대책기관을 설립하지 않고 각 부서별로 고유의 업무를 수행하며 지방행정체계를 활용, 주민 보호계획을 수립하여 집행하고, 중앙조직이 필요시에는 발 빠르게 대응하고 있다(유럽의 구제역과 유럽홍수 등의 자연재해에 능동적 대처를 위해 2001년 내각부에 국민재해사무국을 설립, 중앙집행기관으로서의 역할을 담당하고 있다).

4) 독일

대규모 재난 및 전시에는 연방정부(민방위청)가 책임지나 평시 응급상황관리는 주정부가 담당하고 있다. 중앙 또는 연방민방위는 연방정부 내무성산하에 설치된 민방위청에서 전담하고 있으며 민방위청은 다시 관리부, 민간방위부, 재해통제부, 경계경보활동부 등으로 구성되어 있다. 1997년 민방위기본법을 개정을 통해 자위, 경보, 대피소 보호, 인구이동 통제, 재난관리, 보건대책, 문화재 보호 등의 민방위 업무를 재정립하였으며, 민방위 연방계획에 의거 정부기능의 연속성 보장, 국민보호, 물자조달, 정규군 지원 등 위기상황에서 사회기능을 유지하고 있다.

지방정부는 주정부, 지역정부 및 시정부에서 평상시 재난에 대비한 지원 및 소방당국과 긴밀한 협조체계를 유지하고 있다. 방호 및 구조·구급을 담당하는 정규 소방대는 27,000여명이며 110만 정도의 자원봉사대, 305,000여명의 적십자 요원이 함께 활동하고 있다. 민간협조기관단체 및 주요 조직으로는 중앙민방위에 있는 각부 산하에 연방자위연합회, 연방민방위학교, 11개 주연합회와 618개 지방지부, 10개 경보센터 등을 운영하고 있다.

5) 스위스

연방정부의 경우 연방민방위청에서 위험에 처한 국민에 관한 정보수집, 보호수단 및 대책강구, 문화유산 보호, 주 및 지방자치단체의 응급대책관리를 지원하고 있으며, 지방정부는 주정부와 시정부롤 구분되어지는데 주정부는 주연내 및 인근 주 및 스위스 국경과 가까운 외국영통에서 활동하고, 시정부는 근간조직으로서 시영내, 인근시 및 외국시에서 활동하며, 지역 민방위조직의 확대 및 활성화, 소방과 민방위의 밀착협력, 인력풀의 활용, 의료인력 및 구조방비의 확보, 경보 및 통신장비의 현대화 등에 주력하고 있다.

라. 우리나라의 재난관리체제

재난이 발생하게 되면 재난 및 안전 관리에 관한 사항을 심의하기 위하여 국무총리 소속으로 중앙안전관리위원회가 가동되며, 대규모 재난의 수습 등에 관한 사항을 총괄·조정하고 필요한 조치를 하기 위하여 행정안전부에 중앙재난안전대책본부를 두게 된다. 또한 재난이 발생할 우려가 현저하거나 재난이 발생하였을 때에 국민의 생명·신체 및 재산을 보호하기 위하여 긴급 구조기관과 긴급 구조 지원기관이 하는 인명 구조, 응급 처치, 그 밖에 필요한 모든 긴급한 조치를 "긴급 구조"라 하는데, 해상에서 발생한 재난을 제외하고는 소방조직이 긴급구조통제단의 역할을 수행하게 된다.

재난 현장에서는 시·군·구 긴급구조통제단장이 긴급 구조 활동을 지휘하게 되는데, 긴급 구조 현장 지휘의 주요 사항은 다음과 같다.

① 재난 현장에서 인명의 탐색·구조
② 긴급 구조 기관 및 긴급 구조 지원 기관의 인력·장비의 배치와 운용
③ 추가 재난의 방지를 위한 응급조치
④ 긴급 구조 지원 기관 및 자원봉사자 등에 대한 임무의 부여
⑤ 사상자의 응급 처치 및 의료 기관으로의 이송
⑥ 긴급 구조에 필요한 물자의 관리
⑦ 현장 접근 통제, 현장 주변의 교통정리, 그 밖에 긴급 구조 활동을 효율적으로 하기 위하여 필요한 사항

해상에서 발생한 선박이나 항공기 등의 조난 사고의 긴급 구조 활동에 관하여는 「수상에서의 수색·구조 등에 관한 법률」에 따라 해수면에서의 수난 구호는 해양경찰에서 구조본부를 설치하여 긴급 구조 업무를 수행하고, 내수면에서의 수난 구호는 소방관서에서 수행하게 된다.

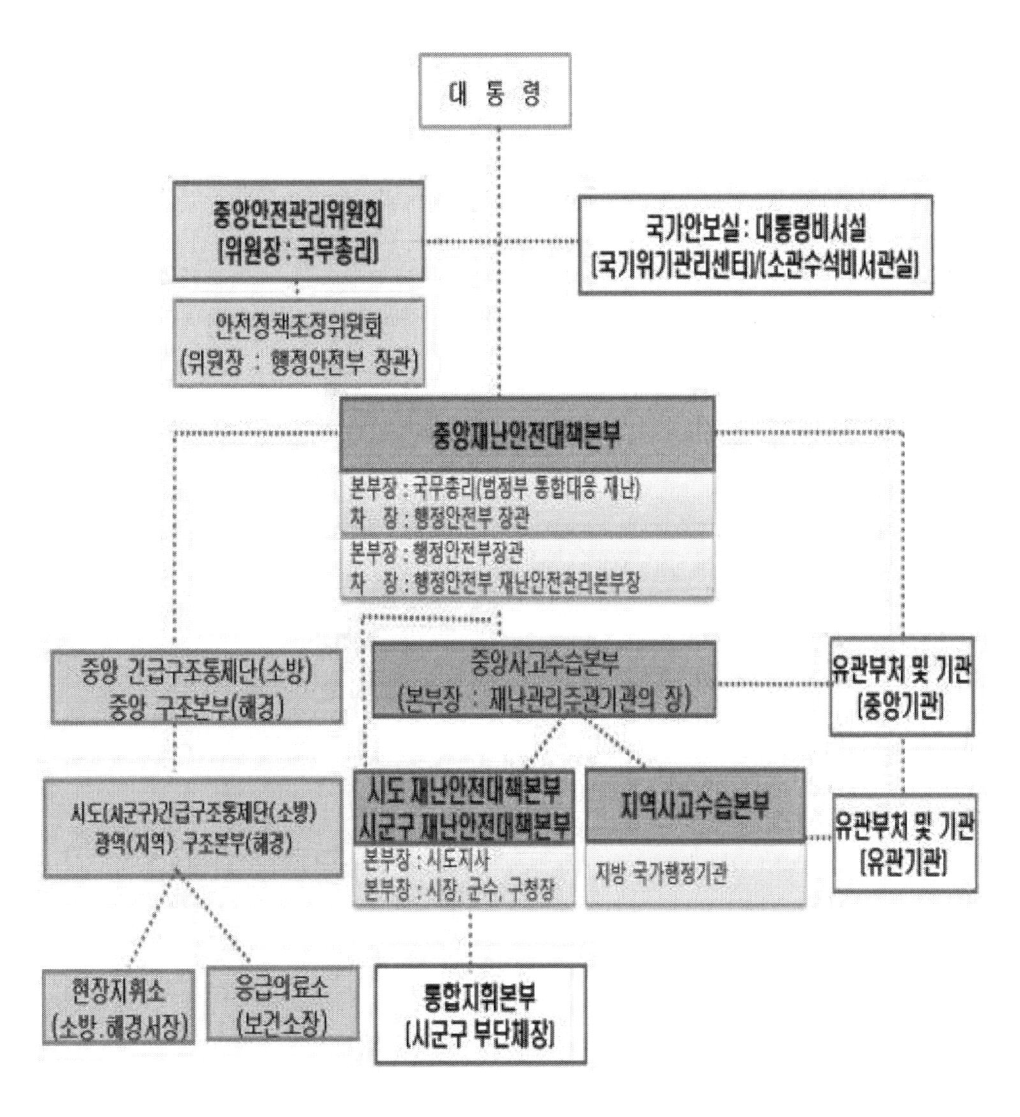

<그림 5> 현재 대한민국의 재난 관리 체계도

2장

재난사례분석

1. 대한민국 재난사례

대한민국 정부수립 이후(1948년) 현재까지 사망자가 100명 이상 발생하거나 사회적 파급효과가 큰 주요 재난사례를 정리하여 소개하면 다음과 같다.[4]

창경호 침몰 사고 (1953.1.9.)

전남 여수항에서 부산항으로 가던 정기 여객선 창경호가 경상남도 부산시(현 부산광역시) 서남쪽 다대포 앞바다 거북섬 부근에서 강풍을 만나 침몰한 사고이다. 이 사고로 승선인원 중 선장과 선원 3명, 학생 2명, 군인 2명을 제외하고 300여 명이 익사한 것으로 추정된다.[5]

창경호는 길이 33.6m, 폭 6.15m, 총 147 톤이며, 승선 정원은 240명, 화물 적재량은 100 톤이었으며, 이 정기 여객선은 전남 여수항에서 출발하여 부산항으로 향하던 대동상선 소속으로 운행되고 있었다. 침몰 시점은 부산 서남쪽 8km 지점에 있는 다대포 앞바다 거북섬에서 200m 떨어진 지점이었으며, 당시 창경호는 승객 200여 명과 쌀 450가마를 싣고 있었으나, 선장과 선원 3명, 승객 3명만이 구조되었다고 보도되었고, 며칠 후 또 한 명의 생존자가 발견되어 생존자 수가 8명으로 늘었다.[6]

---

4) 나무위키(2023), 역대 대한민국의 대형사고 및 참사, 사망자수를 근거로 분류
5) 창경호 침몰 사고 -위키백과
https://ko.wikipedia.org/wiki/%EC%B0%BD%EA%B2%BD%ED%98%B8_%EC%B9%A8%EB%AA%B0_%EC%82%AC%EA%B3%A0.

이 사고는 한국의 해상 안전 역사에서 중요한 사건 중 하나로 기억되고 있으며, 그 원인과 경위에 대한 논란도 있었는데, 초과 적재, 파도, 선체의 균형 등이 사고 원인으로 제기되었으며, 이 사고를 통해 대형 인명사고 시 운수업자와 업무를 소홀히 한 감독기관에 대한 벌금과 형량을 강화하는 법안이 제정되기도 했다.[7]

부산 공설운동장 압사 사고(1959.7.17.)

1959년, 부산에서 발생한 압사 사고는 그 해 7월 17일, 경상남도 부산시(현 부산광역시) 대신동 부산공설운동장(현 구덕공설운동장)에서 열린 '제2회 부산 시민 위안의 밤' 행사에서 발생했다. 이 행사는 지역 신문사 주최로 열린 것으로, 당시에는 3만 명 이상의 부산 시민들이 참여하여 즐거운 시간을 보내고 있었다.

그러나 행사가 시작된지 1시간 30분이 채 지나지 않아 갑작스러운 폭풍과 소나기가 내렸는데, 당시에는 일기 예보 체계가 발전하지 않아, 관객들은 우산이나 비옷을 갖고 있지 않았다. 무대와 출구 사이 약 50미터 거리에는 전등이 없었고, 어둠 속에서 수많은 관객들이 좁은 출구로 몰려가는 중에 사고가 발생했다.

경찰이 군중을 통제하려다 20여 발의 공포탄을 발사하자 더욱 큰 혼란이 생겨, 결과적으로 67명이 사망하고 150명이 다친 비

6) https://blog.naver.com/PostView.nhn?blogId=koreanyori&logNo=222542178218.
7) https://m.blog.naver.com/heronam78/222497789983.

극적인 사건으로 이어졌다. 수사 당국은 행사 당일에 10배 이상의 인원이 입장한 운동장과 좁은 출구 등을 사고의 주요 원인으로 지목했으나, 당시 당국은 이를 '국민 각자의 도덕심 결여'로 일축하는 발언을 하면서 사건을 대처했다. 부산공설운동장 압사 사고는 한 달 간 '집단 도덕 앙양'이라는 표어와 함께 기억되었다. 이 사건은 2022년 10월 서울 이태원에서 발생한 압사 사고 이전까지 대한민국에서 가장 많은 인명 피해를 낸 압사 사고로 기록되었다.[8]

연호 침몰 사건(1963.1.18.)[9]

1963년 1월 18일, 전라남도 해남군 연호리에서 출항하여 목포로 향하던 명진합명회사 소속 여객선 연호가 전라남도 영암군 가지도 앞 해역에서 강풍으로 전복되어 침몰한 사건으로 이 사고로 140명이 사망하였다.

8) https://www.edaily.co.kr/news/read?newsId=01098806635675504
https://www.knnews.co.kr/news/articleView.php?idxno=1388928
9) 연호 침몰 사고 - 위키백과, 우리 모두의 백과사전.

여객선 연호는 전라남도 목포시와 해남군 황산면 연호리 사이를 운행하는 정기 여객선으로, 84마력의 엔진을 갖추고 34.5톤의 톤수를 가지고 있었으며, 선원 8명을 포함하여 총 86명이 탑승하고 있었고, 선령은 21년이었다. 출발한 연호는 낮 12시경 영암군 삼호면 가지도 앞 해상에서 돌풍을 만나 선체가 기울어지면서 침몰하였는데, 생존자 1명을 제외한 140명이 모두 사망했다. 파도는 3m였고, 사고 현장에서 5백 미터 거리의 허사도에 생존자 1명이 표착하여 경비정에 의해 구조되었다.

이 사고는 정원 초과와 강풍으로 인한 전복으로 발생하였으며, 교통부 해운당국은 정원 초과로 인한 책임과 현지 해운관계자들에 대한 형사적 책임을 철저히 물을 것으로 밝혔다. 치안국에서는 선체의 부식이 심하였으을 지적하였으며, 140명이 사망한 연호 침몰 사건은 한국의 해상 안전에 대한 중요한 교훈을 주는 사건이 되었다.

한일호-충남함 충돌 사고(1967.1.14.)

1967년 1월 14일, 경상남도 창원군 천가면 가덕도 서쪽 해상에서 발생한 한일호-충남함 충돌 사고는 정기 여객선 한일호와 해군 구축함 충남함이 충돌하여 발생했다.

한일호는 여수에서 부산으로 향하던 중이었고, 충남함은 진해 해군기지 소속으로 동해 경비 임무를 수행 중이었다. 충남함은 가덕도 서쪽 해상을 지나가던 중 140도 방향에서 남하하는 한일호를 발견하여. 충돌을 피하기 위해 경적 신호를 보내고 항로 변경을 시도했지만, 관성 때문에 충돌을 피할 수 없었다. 결과적으로 한일호는 충남함의 왼쪽 옆구리를 들이받고 침몰했으며, 이 사고로 한일호 승객 87명 중 13명이 사망하고 62명이 실종되었다. 충남함은 특별한 피해를 입지 않았는데, 최종 인명 피해자는 93명으로 집계되었다.[10]

사고의 원인은 한일호와 충남함 양측에 모두 과실이 있었다고 추정되며, 한일호의 선체를 인양한 후 수중검증과 재검증을 통해 결론이 내려졌다. 논란이 있었지만 최종적으로는 충남함측에 중과실이 있었다고 결론지어졌으며, 이 사건은 한국의 해상 안전 및 교통사고에 대한 중요한 재난 사례 중 하나로 기록되었다.

10) https://ko.wikipedia.org/wiki/%ED%95%9C%EC%9D%BC%ED%98%B8-%EC%B6%A9%EB%82%A8%ED%95%A8_%EC%B6%A9%EB%8F%8C_%EC%82%AC%EA%B3%A

와우 시민아파트 붕괴사고(1970.4.8.)[11]

(출처 : e영상역사관, 정부기록사진집,>
https://www.ehistory.go.kr/movie_pds/ImageRoot/Yesterday/pix/16/210.jpg

11) 와우아파트 붕괴 참사 - 위키백과, 우리 모두의 백과사전. https://ko.wikipedia.org/wiki/%EC%99%80%EC%9A%B0%EC%95%84%ED%8C%8C%ED%8A%B8_%EB%B6%95%EA%B4%B4_%EC%B0%B8%EC%82%AC.

서울특별시 마포구 창전동에 위치한 와우지구 시민아파트에서 발생한 부실공사로 인한 붕괴 사고로 한국의 부실공사를 대표하는 사례로 기억되고 있다.

와우아파트는 무면허 건설업자가 가파른 산 중턱에 건설한 아파트로, 당시 김현옥 시장의 업적을 부각시키기 위한 의도에서 시작되었다. 그러나 건설 허가를 따내기 위해 뇌물을 주고 공사 자재를 아껴야 했기 때문에 부실공사가 강행되었으며, 김현옥 시장은 서울의 땅값 상승에 따라 값싼 국유지를 선택함으로써, 지반이 약한 와우산 기슭에 아파트를 건설하게 되었다.

사고는 준공 4개월 만인 1970년 4월 8일 오전 6시 40분 경에 발생했다. 와우아파트 한 동이 무너져 사망자 33명, 부상자 38명의 인명피해가 발생했으며, 무너진 아파트 잔해가 아래에 위치한 판잣집을 덮쳐 1명의 사망과 2명의 부상자가 발생했다. (총 사망자 34명, 부상자 40명).

이 사고는 부실공사와 부정부패의 결과로 발생한 대형 사고로서, 이후로도 부실공사 문제가 심각한 사회적 이슈로 대두되었으며, 1970~80년대의 하도급 비리와 준공검사의 허점을 드러내며, 한국 사회에 지속적인 경각심을 일으켰다.

남영호 침몰사고(1970.12.15.)[12]

(출처 : 공공누리, 제주특별자치도청) ,

https://www.kogl.or.kr/recommend/recommendDivView.do?recommendIdx=38934&division=img

1970년 12월 15일, 제주에서 부산으로 향하던 남양상선 소속 선박인 남영호가 거문도 동쪽 해상에서 침몰하는 비극적인 사고가 발생했다. 이 사고로 인한 인명 피해는 총 326명이었으며, 선체와 화물을 포함한 재산 피해는 1억 700만원에 이르렀다.

남영호는 1967년에 경남조선회사에서 제작된 정기 여객선으로, 길이 43m, 폭 7.2m, 362톤급이었습니다. 이 선박은 부산과 제주 사이를 운항하며, 승객 정원은 295명이었고 선원은 19명이었다. 그러나 사고 후의 조사에서는 실제로는 338명의 승객과 540톤을 넘는 화물이 운반되었음이 밝혀졌다.

사고의 원인으로는 과적, 항해 부주의, 긴급신호 발신 후 신속한 대응의 부재 등이 지적되었습니다. 이러한 요인들이 결합하여 많은 인명 피해가 발생한 사고로 기록되었다.

---

12) 남영호 침몰 사고 - 위키백과, 우리 모두의 백과사전.
https://ko.wikipedia.org/wiki/%EB%82%A8%EC%98%81%ED%98%B8_%EC%B9%A8%EB%AA%B0_%EC%82%AC%EA%B3%A0.

대연각호텔 화재(1971.12.25.)[13]

(출처 : e영상역사관, 정부기록사진집)

https://www.kogl.or.kr/recommend/recommendDivView.do?recommendIdx=38934&division=img

1971년 12월 25일, 크리스마스 아침에 서울특별시 중구 명동에 위치한 22층짜리 대연각 호텔에서 화재 사고가 발생했다. 이 사건은 세계 호텔 화재사상 최악의 참사 중 하나로 기록되고 있는데, 화재의 원인은 1층 커피숍 주방 안에 세워 둔 프로판 가스통이 폭발하여 가스레인지에 인화된 것이었다. 불은 내부의 나일론 카펫 바닥과 목조 시설로 인해 빠르게 번져, 소방차만으로는 인명 구조가 어려웠다. 대통령 전용 헬기와 육군 항공대, 공군,

---

13) 대연각호텔 화재 - 위키백과, 우리 모두의 백과사전.
https://ko.wikipedia.org/wiki/%EB%8C%80%EC%97%B0%EA%B0%8

미8군 헬기가 동원되어 구조작업이 진행되었으며, 이 사고로 191명이 사망하고 63명이 부상했으며, 당시 소방서 추정으로 약 8억 3,820만 원의 재산 피해가 발생했다. 현재는 리모델링되어 고려 대연각으로 이름을 바꾸어 존재하고 있다.

YTL30호 침몰 사건(1974.8.12.)[14]

1974년 2월 22일, 충무시 앞바다에서 대한민국 해군 소속 YTL30호 (잡역 보조선)이 전복하여 침몰한 사고가 발생했다. 이 사고로 해군 신병 103명, 해경 50명, 실무요원 6명 등 총 159명이 모두 순직했다.

YTL30호는 소형 항만 예인정으로, 항구 내에서 예인, 통선과 같은 잡역을 담당하는 보조선이었다. 무게는 120톤이며, 약 4백 마력을 가지고 있었으며 최대 시속은 10노트였다. 승무원은 4명이었고, 해군 당국에 의하면 최대 350명 정도의 인원을 수송할 수 있다고 보도되었다[1].

사고 당시, 진해 해군 훈련소 신병 316명이 YTL30호에 승선하려 했으며, 11시 8분경, 모함을 30m 앞두고 급선회하던 중 선체가 기울어 전복되었고, 5분도 안 되는 사이에 침몰하여 11시 13분경에는 바닷물 속에 잠겼다. 차가운 물과 무거운 제복은 구

14) 충무 앞바다 YTL정 침몰 사고 - 위키백과, 우리 모두의 백과사전. https://ko.wikipedia.org/wiki/%EC%B6%A9%EB%AC%B4_%EC%95%9E%EB%B0%94%EB%8B%A4_YTL%EC%A0%95_%EC%B9%A8%EB%AA%B0_%EC%82%AC%EA%B3%A0.

조를 어렵게 만들었다. 사고로 해군 신병 및 해경 훈련병들이 민무늬 전투복에 군화를 신고 있었는데, 군화는 물에 빠졌을 때 수영을 하는 데 상당한 방해가 되어 159명의 사망자가 발생하게 되었다. 이 사건은 대한민국 역사상 가장 비극적인 해상사고 중 하나로 기억되고 있다.

이리역 폭발사고(1977.11.11.)[15]

1977년 11월 11일 오후 9시 15분, 전북특별자치도 이리시(현 익산시)의 이리역(현 익산역)에서 발생한 대형 열차 폭발 사고이다. 대량의 화약류를 싣고 있던 화물 열차가 폭발한 사건으로 다이너마이트, 초산암모니아, 초육폭약, 도화선 등 합계 1,250상자 30톤에 이르는 화약류가 탑재된 열차의 폭발로 인해 이리역 구내는 깊이 10m, 직경 30m에 달하는 큰 웅덩이가 생기며, 반경 2㎞ 건물까지 파괴되었다.

이 사고로 인한 피해는 심각했는데, 사망자 59명, 중상자 185명, 경상자 1,158명으로 총 1,402명의 인명피해가 있었으며, 이재민은 수천 명에 이르렀다. 또한, 철도 시설도 큰 피해를 입었으며, 한국 최악의 철도사고 중 하나로 기억되고 있다.

---

15) 이리역 폭발 사고 - 위키백과, 우리 모두의 백과사전.
https://ko.wikipedia.org/wiki/%EC%9D%B4%EB%A6%AC%EC%97%AD_%ED%8F%AD%EB%B0%9C_%EC%82%AC%EA%B3%A0.

대한항공 007편 격추 사건(1983.9.1.)[16]

1983년 9월 1일, 대한항공 소속 007편 여객기가 뉴욕에서 출발하여 앵커리지를 경유한 뒤 김포로 가던 중 소비에트 연방 공군의 수호이-15TM 전투기에 의해 사할린 인근에서 격추되었다. 이 사건으로 미국을 비롯한 16개국 269명의 탑승자가 모두 사망했고, 국제사회에 큰 파장을 일으켰다.

비무장 여객기에 대한 소련 전투기의 미사일 공격은 국제적 긴장을 고조시키는 원인이 되었으며, 대한민국 정부와 다른 국가들은 소련 국적 항공기에 대한 운항 중지와 모스크바 취항 거부 등의 제재를 즉각 시행했다. 이 사건은 래리 맥도널드 미국 조지아주 민주당 하원 의원을 비롯한 많은 인물들의 주목을 받았다.

대한항공 007편 격추 사건은 대한항공 858편 폭파 사건과 함께 양대 KAL기 사건으로 불리며, 미국과 소련 간의 긴장을 증폭시키는 국제적 위기를 초래한 사건으로 기억되고 있다.

---

16) 대한항공 007편 격추 사건 - 위키백과, 우리 모두의 백과사전. https://ko.wikipedia.org/wiki/%EB%8C%80%ED%95%9C%ED%95%AD%EA%B3%B5_007%ED%8E%B8_%EA%B2%A9%EC%B6%94_%EC%82%AC%EA%B1%B4.

대한항공 858편 폭파 사건(1987.11.29.)[17]

대한항공 858편 테러 사건은 이라크 바그다드에서 출발하여 한국 서울을 향하던 중, 북한 요원인 김현희와 김성일이 주도한 테러 공격으로 인해 공중 폭파되어 탑승객 115명과 승무원 전원이 사망한 테러사건이다. 이 테러는 아부다비의 경유지에서 비행기에 폭탄을 설치한 사건으로, 북한은 이로 인해 2008년 9월까지 미국의 테러 지원국 명단에 올랐다.

대한민국 정부의 수사 결과에 따르면, 1987년 11월 29일 미얀마 안다만 해역 상공에서 대한항공 보잉 707 기는 북한 공작원 김승일과 김현희에 의해 폭파되어 탑승객 115명이 전원 사망했으며, 이 사건은 김정일의 명령으로 1988년 하계 올림픽 방해와 대한민국 내 대정부 불신 조장을 목적으로 발생한 것으로 밝혀졌다.

대한항공 858편 테러 사건은 북한과 관련하여 여러 해 동안 논란의 중심이 되었으며, 그 진실과 배후에는 여전히 많은 의문이 남아 있다.

17) 대한항공 858편 폭파 사건 - 위키백과, 우리 모두의 백과사전. https://ko.wikipedia.org/wiki/%EB%8C%80%ED%95%9C%ED%95%AD%EA%B3%B5_858%ED%8E%B8_%ED%8F%AD%ED%8C%8C_%EC%82%AC%EA%B1%B4.

서해훼리호 침몰 사고(1993.10.10.)[18]

(출처: : e영상역사관, 정부기록사진집)
https://www.ehistory.go.kr/photo_pds/PG-%EC%B4%9D%EB%A6%AC+%EC%9D%BC%EB%B0%98/PG-1993/%EC%B9%BC%EB%9D%BC/PG-1993-0830/2400dpi/PG-1993-0830-011.jpg

전북특별자치도 부안군 위도에서 발생하였으며, 군산 서해훼리 소속의 110톤급 여객선 서해훼리호가 침몰하여 292명의 사망자가 발생한 해양재난이다.

서해훼리호는 1990년 10월에 건조된 110톤급 철선으로 길이는 33.9m, 폭은 6.2m이었다. 부안과 격포를 왕복하는 정기 운항으로, 승무원 14명을 포함하여 221명의 승객을 수용했다.

---

18) 서해훼리호 침몰 사고 - 위키백과, 우리 모두의 백과사전. https://ko.wikipedia.org/wiki/%EC%84%9C%ED%95%B4%ED%9B%BC%EB%A6%AC%ED%98%B8_%EC%B9%A8%EB%AA%B0_%EC%82%AC%EA%B3%A0.

1993년 10월 10일 오전 9시 40분, 362명의 승객과 화물 16톤을 적재한 서해훼리호는 위도 파장금항을 떠나 부안 격포항으로 향했는데, 10시 10분쯤 임수도 부근 해상에서 돌풍을 만나고, 회항하려고 했던 중에 파도를 맞아 심하게 흔들리면서 전복되고 침몰했다.

서해훼리호에는 9개의 구명정이 있었으나, 그중 2개만이 작동되었으며, 생존자들은 2척의 구명정에 나누어 탔고 부유물에 매달렸다. 어선들이 조난 사실을 알리고 40여 명의 생존자를 구조했다. 수색작업이 시작되어 10월 10일 22시까지 70명의 생존자가 구조되고 51구의 시신이 인양되었다.

최종 11월 2일에 신고된 마지막 실종자를 끝으로 모두 292구의 시신이 인양되었다.

사고의 원인에 대해서는 초과 승선과 과적, 운항부주의, 방수구 부족 등이 지적되었으며, 기상 여건이 좋지 않은데도 무리하게 운항한 것이 사고의 직접적인 원인으로 지적되었다.

선박의 운용에도 문제점이 있었으며, 열악한 운용 환경도 지적되었으며, 대한민국 역사상 최악의 해양 사고 중 하나로 기억되고 있다.

성수대교 붕괴(1994.10.21.)[19]

(출처: : e영상역사관, 정부기록사진집)
https://www.ehistory.go.kr/movie_pds/ImageRoot/Yesterday/14/14-140.jpg

1994년 10월 21일 오전 7시 38분경 서울특별시의 성수동과 압구정동을 연결하는 성수대교 1,160 m 중 제 10번, 제 11번 교각사이 상부트러스 48m가 붕괴 되어 차량 6대가 한강으로 추락한 사고이다.

인명피해는 사망자 32명, 부상자 17명이며, 재산피해는 차량 6대 추락, 물류 운송망 및 시민의 출 퇴근 등에 있어 교통의 혼란을 야기했다. 이 붕괴사건이 전 세계적으로 보도됨으로써 해외건

19) 성수대교 붕괴 사고 - 나무위키
https://namu.wiki/w/%EC%84%B1%EC%88%98%EB%8C%80%EA%B5%90%20%EB%B6%95%EA%B4%B4%20%EC%82%AC%EA%B3%A0

설수주에 타격을 주는 등 건설업계에 직접적 또는 간접적으로 적지 않은 재산피해를 주었다.

붕괴의 주요 원인으로는 설계상의 오류와 함께 설계서상에는 기계용접을 해야 할 부분에 수동용접을 하기도 하였고, 정기적인 점검 및 유지관리의 미비로 인해 피로균열의 진전을 예방하지 못 하점도 지적되었다.

또한 과적차량의 통제가 설계하중을 초과하는 중차량의 통행으로 초과응력을 지속적으로 감당하고 있었으며, 매년 겨울 제설작업을 위해 무려 8t씩의 염화칼슘이 뿌려져 교량부식의 결정적인 요인이 되었다.

공사준공시 구조물의 안전도를 평가하는 제도가 없어 부실부분에 대한 확인이 미흡하였고, 하도급의 부당한 관행과 비리로 부실시공이 성행하였고, 유지관리 전담기구는 있으나 예산부족으로 제대로 관리되고 있지 못하였다는 제도적 문제도 제기되었다.

대구 지하철 공사장 가스 폭발 사고(1995.4.28.)[20]

(출처: : e영상역사관, 정부기록사진집)
https://www.ehistory.go.kr/movie_pds/ImageRoot/Yesterday/14/14-192.jpg

1995년 4월 28일 오전 7시 52분 경, 대구광역시 달서구 상인 1동 상인네거리 지하철 1호선 2공구 건설공사 현장에서는 롯데 백화점 상인점 건축을 위한 신축 작업이 진행 중이었다. 이 중 그라우팅을 위한 천공작업이 진행되고 있었는데, 이 과정에서 1995년 4월 28일 오전 7시 52분경, 75mm 구멍 31개를 굴착하던 중 도시가스 배관이 실수로 손상되었다.

이로 인해 도시가스가 누출되어 가스는 지하로 유입되었고, 원인불명의 불씨로 인해 가스가 폭발하였고, 50m 높이의 화염이

---

20) 대구 상인동 가스 폭발 사고 - 위키백과, 우리 모두의 백과사전. https://ko.wikipedia.org/wiki/%EB%8C%80%EA%B5%AC_%EC%83%81%EC%9D%B8%EB%8F%99_%EA%B0%80%EC%8A%A4_%ED%8F%AD%EB%B0%9C_%EC%82%AC%EA%B3%A0.

솟아나며 폭발음이 울렸다. 이 비극적인 사고로 인해 등교길 학생 43명을 포함한 101명이 목숨을 잃었으며, 202명이 부상을 입었다. 뿐만 아니라, 공사장 위에 설치된 임시 복공판 400m도 무너져 차량 통행에도 영향을 미쳤다. 건물 346채와 자동차 152대가 파손되어 전체 피해액은 약 540억원에 달했으며, 이 참사로 인해 대구 상인네거리 주변 지역은 전쟁터와 같은 모습으로 변했다.

삼풍백화점 붕괴(1995.6.29.)[21]

(출처: : e영상역사관, 정부기록사진집)
https://www.ehistory.go.kr/photo_pds/PG-%EC%B4%9D%EB%A6%AC+%EC%9D%BC%EB%B0%98/PG-1995/%EC%B9%BC%EB%9D%BC/PG-1995-0574/2400dpi/PG-1995-0574-042.jpg

1995년 6월 29일 오후 5시 52분경, 대한민국 서울 서초동 소재의 삼풍백화점이 갑자기 붕괴되어 502명이 사망하고 937명이 부상을 입었으며 6명이 실종된 대형 재난이다. 이로 인한 재산 피해 역시 상당하여 국가기록원에 따르면 당시 백화점 건물 900억 원, 시설물 500억 원, 상품 300억 원, 양도세 1000억 원의 재산 피해가 발생했으며, 전체 피해 보상액은 3792억 원으로 추산되었다. 이 사고는 성수대교 붕괴 사고 이후 8개월 만에 발생한 것으로, 세계의 건물 붕괴 관련 참사 중 사망자 11위를 기록

21) 삼풍백화점 붕괴 사고 - 나무위키.
https://namu.wiki/w/%EC%82%BC%ED%92%8D%EB%B0%B1%ED%99%94%EC%A0%90%20%EB%B6%95%EA%B4%B4%20%EC%82%AC%EA%B3%A0

했다. 삼풍그룹 회장 이준 등 백화점 관계자와 공무원 등 25명이 기소되었다.

이 재난의 원인은 불법증축, 불법 용도변경, 부실공사, 부실관리, 에어컨 냉각탑 이동으로 인한 옥상바닥 손상 등 다양한 복합적인 요인들이 작용한 결과로 볼 수 있다. 특히 붕괴 전날 5층 식당가에서는 탁자가 기울어지거나 벽과 천장에 이상 징후가 있었음에도 경영진은 이를 무시하고 에어컨 작동을 중지한 채 영업을 계속하여, 이로 인해 재난이 발생하게 되었다.

이 사건은 성수대교 붕괴 사고와 함께 안전불감증의 대표적 사례로 언급되며, 이를 계기로 전국적인 건축물 안전실태 조사와 건축법의 강화가 이루어지게 되었다. 또한 대형 재난 현장에서의 긴급구조활동이 보다 체계적으로 이루어질 수 있도록 현장지휘권이 소방본부로 일원화되었으며, 건물에 대한 안전 평가도 실시되었고, 긴급구조체계에 대한 문제점들이 제기되어 중앙 119구조대가 서울·부산·광주에 설치되었다. 이로써 국내 재난 관리 시스템이 보다 향상되게 되었다.

대한항공 801편 추락 사고(1997.8.6.)[22][23]

1997년 8월 6일, 대한항공 801편은 대한민국 김포국제공항에서 이륙하여 미국령 괌의 앤토니오 B. 원 팻 국제공항으로 향하던 여객기였다. 그러나 이 비행기는 착륙 접근 중에 발생한 사고로, 총 254명 중 228명의 승객과 승무원이 희생되었다.

해당 사고의 주요 원인으로 기장의 피로 누적(기장이 오랜 비행 시간 동안 피로를 누적한 상태), 기상 악화 속 착륙 접근 실패(괌의 앤토니오 B. 원 팻 국제공항은 폭우가 쏟아지고 있었으며, 활공각 지시기가 고장으로 수리 중. 이로 인해 조종사들이 혼란에 휩싸여 규정 고도를 무시하고 착륙을 시도) 등이 제시되었다.

이 비행기는 보잉 747-3B5 기종으로 소속된 대한항공의 국적기로서, 이 사고 이후 괌 국제공항은 신호장치 규격을 미국의 다른 지역과 통일시켰으며, 대한항공은 이후 KE801편 편명을 사용하지 않기로 결정했다.

22) 대한항공 801편 추락 사고 - 위키백과, 우리 모두의 백과사전. https://ko.wikipedia.org/wiki/%EB%8C%80%ED%95%9C%ED%95%AD%EA%B3%B5_801%ED%8E%B8_%EC%B6%94%EB%9D%BD_%EC%82%AC%EA%B3%A0.

23) 전 국민 슬프게 만든 최악의 '대한항공 여객기' 추락사고 https://www.insight.co.kr/news/170684.

씨랜드 청소년수련원 화재 사고(1999.6.30.)[24)]

1999년 6월 30일, 경기도 화성군(현 화성시) 서신면 백미리에 위치한 씨랜드 청소년수련원에서 발생한 화재로, 이 비극적인 사고로 인해 유치원생 19명과 인솔교사 및 강사 4명 등, 총 23명이 희생되었으며 6명이 부상했다.

해당 화재는 새벽에 발생하여 자고 있던 어린이들과 성인들이 불길에 휩싸이면서 참혹한 사망을 맞이했는데, 씨랜드에는 서울 소망유치원생, 안양 예그린유치원생, 서울 공릉미술학원생, 부천 열린유치원생, 화성 마도초등학교 학생 등 총 497명의 어린이와 인솔교사 47명이 있었다.

화재 발생 후 소방서와 경찰이 즉각 출동하여 화재 진화와 인명 구조 작업에 힘썼지만, 골든타임이 이미 지나고 화재 현장과의 거리가 멀어 화재진압과 인명구조에 어려움을 겪었다. 씨랜드는 얇은 철판과 목재로 만들어진 임시 건물로, 청소년수련원으로서의 안전성이 부족한 구조였다. 이후 씨랜드 대표와 화성군 관계자들은 수사를 받았으며, 이 사고로 인해 많은 이들이 상실의 아픔을 겪게 되었다[3]. 이 사건은 대형 화재 사례 중 하나로 기억되며, 안전 교육과 시설 안전에 대한 중요성을 강조하는 계기가 되었다.

---

24) 씨랜드 청소년수련원 화재 - 위키백과, 우리 모두의 백과사전. https://ko.wikipedia.org/wiki/%EC%94%A8%EB%9E%9C%EB%93%9C_%EC%B2%AD%EC%86%8C%EB%85%84%EC%88%98%EB%A0%A8%EC%9B%90_%ED%99%94%EC%9E%AC.

인천 인현동 호프집 화재 참사(1999.10.30.)[25][26]

1999년 10월 30일, 인천광역시 중구 인현동의 상가 건물에서 발생한 화재 참사는 큰 충격을 안겨준 사건으로 기억되고 있다. 이 비극적인 사고는 건물 2층에 위치한 라이브II 호프집과 3층의 그린당구장에서 발생했다. 화재로 중·고등학생을 포함한 총 57명이 목숨을 잃었고, 79명이 다쳤다.

사건 발생일은 인천 시내의 많은 고등학교에서 가을 축제가 개최되고 있던 시기로, 특히 더 많은 사람들이 상가 건물 안에 머물러 있었다. 화재는 건축물 지하 노래방에서 발생하여 계단을 타고 2층과 3층 사이로 번져 나갔으며, 안타깝게도 비상구와 비상계단이 부족했기 때문에 많은 청소년들이 불에 휩쓸려 숨지거나 연기에 질식하게 되었다. 소방관과 경찰관들은 신속한 대응으로 화재를 진압했지만, 많은 학생들이 희생되었다.

많은 희생자가 발생한 또다른 이유로 호프집 매니저의 어이 없는 조치로 상황이 더욱 악화되었다는 문제기 제기되었다.[27] 화

---

25) 인현동 화재 참사 - 위키백과, 우리 모두의 백과사전.
https://ko.wikipedia.org/wiki/%EC%9D%B8%ED%98%84%EB%8F%99_%ED%99%94%EC%9E%AC_%EC%B0%B8%EC%82%AC.

26) 57명 숨진 인천 인현동 화재 참사 기록, 23년만에 발간 - 한국일보.
https://m.hankookilbo.com/News/Read/A2022032814440001138.

27) 인천 인현동 호프집 화재 참사 - 나무위키
https://namu.wiki/w/%EC%9D%B8%EC%B2%9C%20%EC%9D%B8%ED%98%84%EB%8F%99%20%ED%98%B8%ED%94%84%EC%A7%91%20%ED%99%94%EC%9E%AC%20%EC%B0%B8%EC%82%AC#fn-15

재로 고등학생들이 빠져나가려고 하자 "돈 내고 나가라."며 유일한 출입구를 막은 것이다. 출입구에서 매니저와 학생들 간의 실랑이가 벌어지는 사이 불길은 치솟아 결국 출입구로 대피할 수 없게 되었고 결국 유독가스에 노출된 학생들은 대부분 순식간에 질식사하게 되었다는 문제가 제기되었다.

이 사건은 불법 영업과 관리 소홀로 인한 비극적인 사고로, 많은 이들에게 큰 충격을 안겨주었으며, 이후 인천 지역에는 추모석과 위령비가 세워져 이 사건을 기리고 있다.

홍제동 주택화재 사건(2001.3.4.)[28][29]

2001년 3월 4일, 서울특별시 서대문구 홍제1동의 다세대주택에서 발생한 방화로 인한 연립건물 화재 및 붕괴 사고로, 이로 인해 소방관 6명이 순직하고 3명이 부상한 참사이다.

소방관들은 집주인의 아들이 화재로부터 탈출하지 못했다는 정보를 듣고 즉각적으로 화재 현장에 진입했다. 그러나 건물이 붕괴되어 매몰되었고, 화재 직후에 이미 건물주를 포함한 8명은 탈출한 상황이었다. 이 참사로 인해 서울은평소방서 소속 소방관 9명 중 6명이 순직하고 3명이 부상했다. 이후 국립대전현충원에서 순직자 전원이 안장되었다. 현재 서울소방학교에는 순직자들을 기리기 위한 충혼탑이 세워져 있고, 은평소방서에는 순직자들을 기리기 위한 동판이 세워져 있다. 또한 순직한 소방관들의 희생정신을 기리기 위해 서대문구는 통일로 37길을 '소방영웅길'로 지정했다.

홍제동 주택 방화 사건은 대한민국 소방관의 처우와 안전에 대한 인식을 혁신적으로 변화시킨 사건이라 할 수 있다. 이 사건으로 인해 소방관들의 열악한 처우와 근무 환경이 사회적으로 크게 비판되었으며, 이를 계기로 다양한 변화가 이루어졌다.

---

28) 홍제동 주택 화재 - 위키백과, 우리 모두의 백과사전. https://ko.wikipedia.org/wiki/%ED%99%8D%EC%A0%9C%EB%8F%99_%EC%A3%BC%ED%83%9D_%ED%99%94%EC%9E%AC.

29) 서울 홍제동에 '소방영웅길'... 23년 전 순직한 소방관 6명 기린다. https://www.chosun.com/national/national_general/2024/01/26/AABTPDXOORHJ5FH26XSIT7X2OE/.

소방관의 24시간 맞교대 격일 근무시스템에 대한 문제가 제기되어 현재의 3교대 근무체계로의 변화의 발판이 되었다. 또한, 고가의 방화복이 아닌 값싼 비옷인 방수복이 사용되던 것이 방화복으로 대체되었으며, 소방관들의 안전과 안정적인 근무 환경이 확보되기 시작하였다. 뿐만 아니라, 소방공무원의 정신건강을 적극적으로 관리하기 위한 시스템이 구축되었는데, PTSD와 높은 자살률 등이 문제로 대두되자, 소방공무원의 정신건강을 적극적으로 관리하기 위한 심신관리 프로그램이 도입되었다.

또한, 부족한 현장 소방인력에 대한 대책으로 의무소방대가 창설되었으며, 현재의 소방인력 충원의 모티브가 되었다.

중국국제항공 129편 추락 사고(2002.4.15.)[30][31]

2002년 4월 15일, 대한민국 경상남도 김해시 지내동 동원아파트 뒷편에 위치한 돗대산(해발 380m) 정상 인근에서 발생한 중국국제항공 129편이 추락한 사고로 치명적인 민항기 사고로 기록되었다. 이 사고기는 당시 김해국제공항에서 서클링 접근을 통한 착륙이 허가되어 있었으며, 김해국제공항 18R 활주로에 착륙을 시도하던 중 선회 지점을 지나쳐 북쪽의 돗대산에 충돌했다. 이후 항공유가 누출되어 화재가 발생했으며, 전체 166명의 승객 중 기장과 승무원 2명을 포함한 37명만이 살아남았으며, 나머지 129명은 목숨을 잃었다. 사고 원인은 조종사의 과실로 결론지었으며, 운항 승무원의 총체적인 안전 사항 미비로 인한 추락 사고로 평가되었다.

30) 중국국제항공 129편 추락 사고 - 위키백과, 우리 모두의 백과사전. https://ko.wikipedia.org/wiki/%EC%A4%91%EA%B5%AD%EA%B5%AD%EC%A0%9C%ED%95%AD%EA%B3%B5_129%ED%8E%B8_%EC%B6%94%EB%9D%BD_%EC%82%AC%EA%B3%A0.

31) [비상사태 '코드제로' : 세상을 놀라게 한 항공사건] 중국국제 https://www.epnnews.com/news/articleView.html?idxno=3826.

대구지하철 화재(2003.2.18.)[32]

<출처: : e영상역사관, 정부기록사진집>
https://www.ehistory.go.kr/photo_pds/PM-%EC%B4%9D%EB%A6%AC/PM-2003/%EC%B9%BC%EB%9D%BC/PM-2003-0113/2400dpi/PM-2003-0113-008.jpg

2003년 2월 18일, 대구 도시철도 1호선 중앙로역에서 발생한 방화 사건은 전 세계적으로 역대 최악의 지하철 사고로 기억되며, 사망자 192명, 부상자 151명, 실종자 6명으로 인명 피해가 컸다. 이 사건은 대한민국의 건축 안전분야에 있어서 성수대교 붕괴와 삼풍백화점 붕괴와 함께 전환점이 되었으며, 도시철도 안전에 대한 인식을 변화시켰다.

뇌졸중으로 인한 반신불수와 심한 우울증을 겪고 있던 김대한

---

32) 대구지하철 참사 - 나무위키
https://namu.wiki/w/%EB%8C%80%EA%B5%AC%20%EC%A7%80%ED%95%98%EC%B2%A0%20%EC%B0%B8%EC%82%AC?from=%EB%8C%80%EA%B5%AC%EC%A7%80%ED%95%98%EC%B2%A0%EC%B0%B8%EC%82%AC

이 자신의 신변을 비관하다가 자살을 하기 위해 주유소에서 휘발유 2L를 구입하여 열차에 탑승하여 1회용 가스라이터를 꺼내 불을 켜려고 했던 중, 맞은 편 승객으로부터 "왜 자꾸 불을 켜려고 하느냐"는 나무라는 말을 듣고 휘발유에 불을 붙였다. 자신의 옷에 불이 붙자 황급하게 가방을 객실 바닥에 던지고, 불길은 더욱 빠르게 객실 내로 번지면서 화재가 확산되었다.

이 참사에서 인명 피해가 커진 이유로는 여러 가지 이유가 있는데, 전동차 내 가연성 내장재를 사용해 연기가 급속히 확대되어 인명 피해가 커졌으며, 차량 내 소화기의 위치 인식 및 초기 소화 장비 부족으로 초기 소화 실패, 전동 차량의 화재 현장 진입 금지 조치 미흡, 안전 인력 부족으로 인한 상황 통제 미흡 등이 주요 원인으로 파악되었다.

대구 지하철 참사 이후, 전국의 모든 전동차 내부 시설이 불연재로 교체되었고, 모든 역사에는 기초 소화설비와 인명구조기구가 설치되었다. 연기 감지기, 차단막, 야광타일 등의 안전 시설이 추가로 설치되었으며, CCTV가 확대 설치되어 방화 범죄 등을 감시하는 데 사용되었다. 비상 인터폰과 비상 상황 대처 교육이 강화되어 안전 점검이 엄격하게 실시되고, 전동차 내부를 확인할 수 있는 CCTV도 확대 설치되어 방화 범죄 등을 감시하는 데 사용되고, 전동차 직원에 대한 안전 교육이 강화되었다.

청해진해운 세월호 침몰 참사(2014.3.26.)[33]

2014년 4월 16일, 대한민국의 청해진해운 소속 여객선 세월호가 전남 진도군 부근 해상에서 침몰하여 승객 476명 중 304명이 사망한 대한민국의 대형 참사이다. 특히 세월호에는 제주도로 수학여행을 가던 안산 단원고 학생 325명과 교사 14명이 탑승하였으며 단원고 학생 325명 중 250명이 사망하고 교사 11명이 사망하였다.

세월호 침몰 원인에 대해서는 암초충돌설, 구조결함설, 구조변경설, 항로변경설, 내부폭발설, 과적 및 선체결함설, 느슨한 결박설, 잠수함 충돌설 등이 제기되었지만 아직까지 명확하게 규명되어지지 않았다. 그러나 피해를 키운 원인으로는 무리한 화물적재와 증축, 진도 해상교통관제센터(VTS)가 아닌 제주 VTS에 최초 신고를 해 초기 대응시간(골든타임)을 허비한 점, 긴급구조업무를 수행해야 할 해양경찰의 소극적 구조와 초동대응의 부적절성, 재난대응체계가 가동되었지만 지휘체계의 혼란, 선장을 포함하여 일부 선원들이 승객을 버리고 먼저 탈출하는 최악의 무책임함 등이 제기되었다.

이 참사 이후 정부는 선박 노후화와 부실 검사, 선박의 무리한 개조 등의 문제를 개선하기 위해 화물 겸용 여객선의 선령 기준

---

33) 청해진해운 세월호 침몰 사고 - 나무위키
https://namu.wiki/w/%EC%B2%AD%ED%95%B4%EC%A7%84%ED%95%B4%EC%9A%B4%20%EC%84%B8%EC%9B%94%ED%98%B8%20%EC%B9%A8%EB%AA%B0%20%EC%82%AC%EA%B3%A0

을 30년에서 25년으로 낮추고, 300t 이상의 연안 여객선에는 선박항해기록장치(VDR)의 설치를 의무화하였다. 또한, 국민안전처를 신설하여 안전행정부의 안전기능과 소방방재청·해양경찰청의 기능을 통합하게 되었다. 중앙소방조직은 2017년 7월 소방청이 신설되어 행정안전부의 독립된 외청이 되기 전까지 중앙소방본부로 유지되게 되었다.

제천 스포츠센터 화재(2017.12.21.)[34]

(출처: : 소방청 국가화재정보시스템)
https://www.nfds.go.kr/bbs/selectBbsDetail.do?bbs=B22&bbs_no=7954&pageNo=1

2017년 12월 21일 15시 53분, 충청북도 제천시 하소동에 위치한 노블휘트니스앤스파 스포츠센터에서 발생한 화재로 인해

34) 제천 스포츠센터 화재 사고 - 나무위키
https://namu.wiki/w/%EC%A0%9C%EC%B2%9C%20%EC%8A%A4%ED%8F%AC%EC%B8%A0%EC%84%BC%ED%84%B0%20%ED%99%94%EC%9E%AC%20%EC%82%AC%EA%B3%A0

29명이 사망하고 36명이 부상을 입은 참사가 발생했다. 화재의 주요 원인은 1층 주차장 배관에서 진행 중이던 열선 작업 중에 발생한 것으로, 열선이 천장 구조물로 번져 차량에 불이 옮겨져 연소가 확대되었다. 특히 드라이비트 재질인 외벽의 빠른 확산으로 인해 피해가 커졌다.

사망자가 많이 발생한 이유에는 여러 측면에서의 문제가 제기되었다. 화재 시 소방시설이 제대로 작동하지 않았고, 여자 사우나의 비상구가 창고로 이용되어 탈출이 어려웠으며, 건물주의 아들이 소방안전관리자로 선임되어 소방시설을 점검하는 등 소방시설 자체점검제도에 대한 문제가 지적되었다.

또한, 제천소방서 구조대원의 부족과 효과적인 대응 부재 등으로 인해 소방력의 열악함이 논란이 되었다. 출동대가 화재 발생 초기에 효과적으로 대응하지 않았고, 출동대원이 2층 통유리 창문을 통한 진입을 시도하지 않은 등 골든타임을 놓치면서 피해가 더 커졌다는 비판이 있었다. 이 참사는 대한민국의 소방력에 대한 문제점을 드러내며 안전 관리 체계의 강화와 인력 부족 문제에 대한 심각성을 더욱 부각시켰다.

밀양 세종병원 화재 사고(2018.1.26.)[35][36]

2018년 1월 26일, 경상남도 밀양시 가곡동에 위치한 세종병원에서 발생한 화재로 이 사건으로 의사 1명, 간호사 1명, 간호조무사 1명을 포함한 47명이 목숨을 잃었고, 145명이 부상을 입어 총 192명의 사상자가 발생했다.

화재가 발생하자마자 승강기에 갇힌 상황에서 정전이 발생하였으며, 비상용 발전기가 가동되지 않았다. 스프링클러 설비도 설치되어 있지 않았고, 법적으로는 2018년 6월 30일까지 설치 의무가 있었으며, 소방대원들은 신속한 대응으로 불길을 억제했지만 이미 25명이 사망한 상황이었다.

이 사고는 재난약자인 노인, 병자등에 대한 화재 안전 교훈을 남기며, 비상 상황에 대한 효과적인 대비와 대응 체계의 강화가 필요함을 재각인시켰다.

---

35) 밀양 세종병원 화재 - 위키백과, 우리 모두의 백과사전. https://ko.wikipedia.org/wiki/%EB%B0%80%EC%96%91_%EC%84%B8%EC%A2%85%EB%B3%91%EC%9B%90_%ED%99%94%EC%9E%AC.

36) 밀양 세종병원 화재, 31명 사망에 부상자 다수 - 오마이뉴스. https://www.ohmynews.com/NWS_Web/View/at_pg.aspx?CNTN_CD=A0002398856.

이태원 참사(10.29참사, 2022.10.29.)[37]

2022년 10월 29일 22시 15분경, 대한민국 서울특별시 용산구 이태원동에서 할로윈을 앞두고 많은 인파가 몰려 해밀톤호텔 앞 좁은 골목길에서 압사 사고가 발생했다. 이 사고로 159명이 목숨을 잃었고, 197명이 부상을 입었다. 이는 1995년 삼풍백화점 붕괴 사고 이후 서울 도심에서 발생한 대형 참사 중 가장 많은 사망자가 발생한 사건으로 기록되었다.

이 골목길은 무허가 위반 건축물이 다수 있어 도로가 협소한 상태였다. 또한, 정부와 지방자치단체, 경찰, 소방 등 다양한 공공 부문에서의 부실한 대응이 문제로 지적되었다. 군중 밀집 상황에 대비한 안전 매뉴얼 및 사전 안전·구급 요원 배치, 군중 통제, CCTV를 통한 현장 감시 등의 부재로 인해 이러한 사고가 발생했다는 비판이 제기되었다. 경찰청 특별수사본부는 용산경찰서장, 용산구청장과 용산소방서장을 포함한 6명을 업무상 과실치사 등의 혐의로 입건했다. 특별수사본부는 용산소방서장이 현장에 출동하는 과정에서 적절하게 대처하지 못한 정황을 확인했다고 밝혔다. 그러나 용산소방서장은 경찰력 추가 배치, 소방 인력 추가 투입, 현장 관리 등을 나홀로 지시하며 소방 임무를 넘어선 '컨트롤타워' 역할을 수행한 것으로 알려져 이에 대한 처벌이 부적절하다는 의견도 나오고 있다.

---

37) 이태원 압사사고 - 나무위키
https://namu.wiki/w/%EC%9D%B4%ED%83%9C%EC%9B%90%20%EC%95%95%EC%82%AC%20%EC%82%AC%EA%B3%A0?from=%EC%9D%B4%ED%83%9C%EC%9B%90%20%EB%8C%80%EC%B0%B8%EC%82%AC

2. 재난사례 분석 보고서 작성 연습

1995년 발생한 삼풍 백화점 붕괴 참사에 대한 재난사례 분석 보고서를 작성해 보자. 먼저 기초적인 재난사례 분석을 위해 재난 탐구 보고서를 작성해 보고, 일반적인 재난 사례 분석 보고서 틀과 4M 분석틀을 활용한 보고서 작성 방법을 비교해 보자.

가. 재난 탐구 보고서 작성 (기초 재난사례 분석)

기초적 재난사례에 대한 탐구 수준의 보고서를 작성하기 위한 간단한 분석틀로 제도적·환경적·관리적 요인으로 구분하여 원인과 대책을 탐구하는 방법이 있다. 여기서 제도적 요인은 현행 법과 제도적 미비와 결함으로 인하여 해당 재난이 발생한 부분을 분석하는 영역이며, 환경적 요인은 해당 재난이 발생하게 된 환경적 조건의 문제를 분석하는 영역으로 건축물 붕괴라면 설계와 시공상의 결함으로 인해 재난 환경 자체의 문제가 생겼는지의 여부를 분석하게 되며, 관리적 요인은 안전 관리 계획·매뉴얼의 부재, 점검의 부실, 교육의 부재와 부실 문제 등의 영역에서 원인과 개선 방안을 수립하는 기준이 된다.

<표9> 재난 탐구 보고서 작성 예시[38]

1. 재난 사례명	**삼풍 백화점 붕괴 사고**
2. 재난의 유형: 자연 재난(　), 사회 재난(√), 기타 재난(　)	

38) 2024년 서울출판사 『소방기초』 인정교과서 집필본 참조 작성

3. 재난 발생 개요

① 발생 일시: 1995년 6월 29일 17시 57분

② 발생 장소: 서울특별시 서초구 서초동 1685-3 삼풍 백화점 A동

③ 사고 경위: 붕괴 며칠 전부터 금이 가고 천장에서 시멘트 가루가 떨어지면서 건물이 기우는 등 붕괴와 관련된 여러 징조가 있었지만 경영진은 영업을 계속하였고, 6월 29일 17시 57분 삼풍 백화점 A동은 옥상으로부터의 붕괴 시작 5분 만에 완전히 주저앉아 세계 건물 붕괴 관련 참사 중 사망자 11위를 기록한 대형 참사

④ 피해 현황: (인명) 사망 502명, 부상 937명, 실종 6명

(재산) 약 2,700억 원, 피해 보상액 3,792억 원

4. 재난의 발생 원인과 개선 대책

	원인	대책
제도적 요인	① 건물의 업종 불법 변경 및 4층에서 5층으로의 불법 증축	건축공무원 통제 장치 마련 및 처벌 강화 제도 개선
	② 건물주의 계열사로 건축사를 변경하여 설계	소속 계열 설계·시공·감리 회사 선임을 금지하도록 제도 개선
	③ 감리 및 안전 점검의 부실 문제	건축 시 감리자 및 안전점검관의 권한 강화(책임 의식 강화 및 독립성 보장)
환경적 요인	④ 설계상의 결함: 공사 도중 기둥 크기를 임의로 감소시켰으며, 드롭 패널 및 철근도 부적절한 자재 사용	무량판 구조의 건물 설계 및 시공 시 지켜야 할 건축 구조 공학적 매뉴얼 작성 및 준수
	⑤ 시공상의 결함: 과도한 옥상 하중(건물 옥상에 에어컨과 냉각수를 초과하여 적재, 5층 식당가 식기 재료 등 무게 초과)	각 층에 적재할 수 있는 최대 하중 설정 및 준수 의무 부과(건축 구조 공학적 최대 하중 산정 매뉴얼 준수)

관리적 요인	⑥ 지붕 바닥의 균열 유발(비용절감을 위해 에어컨 실외기를 끌어서 이동하는 과정에서 균열 발생)	옥상 등 특정 장소에서 일정 중량의 물체 이동 시 건축구조공학자의 의견을 받도록 법제화
	⑦ 전조 현상의 무시(벽에 금이 가고 5층의 바닥이 기울어지는 현상 무시)	일정 단계의 건물 이상 현상 발생 시 전문 조사관 확인 절차 의무화
	⑧ 건물조사관의 의견 무시(백화점 운영 중단 요청 무시)	건물조사관의 판단을 거부하거나 불이행 시 처벌 기준 강화
	⑨ 건물 붕괴 대비 훈련 및 매뉴얼의 부재	건물 붕괴 대응 매뉴얼의 수립·시행 및 재난 유형별 피난 및 대응 교육·훈련 실시의 법제화
	⑩ 경영진의 안전에 대한 의식 및 역량 부족	중대 안전사고 발생 시 경영진 처벌 강화 및 무한 책임 법제화

5. 해당 재난이 사회에 미친 영향

① 대한민국 최초로 해당 지역을 특별 재난 지역으로 지정

② 삼풍그룹 회장 이준 등 백화점 관계자와 공무원 등 25명이 기소

③ 전국적인 건축물 안전 실태 조사와 「건축법」의 강화의 계기가 됨.

④ 대형 재난에서 현장 지휘 시 다양한 기관과 명령 체계가 존재하여 명령 통일의 원칙이 제대로 작동되지 않는 문제 등이 제기되어 긴급 구조의 현장 지휘권이 소방 조직으로 일원화되는 계기가 됨.

⑤ 중앙119구조대가 서울·부산·광주에 설치됨.

나. 다양한 분석틀을 활용한 재난사례 분석 보고서 작성

가) 하드웨어 측면과 소프트웨어 측면으로 분류하는 경우

하드웨어 측면은 현행 법과 제도적 측면등의 사회적·구조적 체계에서 재난의 원인을 찾고 대책을 수립하는 측면이라면, 소프트웨어 측면은 현행 재난관리 시스템의 운영적 측면에서 잘못된 관행등에서 원인과 대칙을 수립하는 측면을 의미한다. 삼풍백화점 붕괴 참사를 예시로 하여 이 기준에 따라 재난사례의 원인과 대책을 제시하면 다음과 같다.

<표10> 하드웨어적 측면 (법·제도적 측면)

원 인	대 책
1. 불법을 통한 건축물의 무리한 하중 유발 가. 근린시설로 허가 된 건축물을 백화점(판매시설)로 사용 나. 건물 업종 불법 변경 및 불법 증축(4층에서 5층) 다. 자신의 계열사로 건축사를 변경하여 설계	1. 건물 건축 시 감리권한 강화 (감리원의 책임의식 강화 및 독립성 보장) 2. 건축공무원 외적 통제 장치 및 처벌 강화 3. 소속 계열 설계/시공/감리 회사 선임 금지
2. 공사방법상의 부실함 가. 콘크리트 바닥 기둥 크기 모양 감소 및 에스컬레이터 옆 기둥 크기 추가 감소(32인치/23인치) 나. 드롭패널 부실, 엘자 철근 대신 일자 철근 사용	무량판 구조의 건물설계 및 시공시 지켜야할 건축구조공학적 매뉴얼 작성 및 준수

<표11> 소프트웨어적 측면 (운영적 측면)

원 인	대 책
1. 과도한 옥상하중 가. 건물 옥상에 에어컨과 냉각수의 무게를 합하면 87톤인데 옥상이 견뎌낼 수 있는 하중의 4배가 넘는 무게 나. 5층 식당가 식기 재료 등 무게 초과	각 층에 적재할 수 있는 최대 하중 설정 (건축구조공학적 최대 하중 산정 매뉴얼 준수)
2. 비용절감을 위한 적절하지 않은 방법으로 에어컨 실외기 이동 (지붕바닥의 균열 유발)	일정 중량의 물체 이동시 건축구조공학자의 의견을 받아 옮기도록 법제화
3. 전조현상 무시 (벽 금 무시, 땅 기울기 무시 등)	이상현상 발생 시 전문적인 감식단을 불러 확인하여 결과 확인 후 조치
4. 비상벨 울린 후 육성으로 대피 명령(방송장비 사용 안함)	위급상황 발생 시 전체 층에 알릴 수 있는 방법으로 대피 명령 (스피커 등 사용)
5. 건물조사관 의견 무시 (운영 중단 요청 무시 등)	1. 건물조사관의 즉시 보고의무 및 매뉴얼 작성 및 운영 2. 건물조사관의 판단을 거부하거나 불이행시 처벌기준 강화
6. 건물붕괴에 대비한 훈련 및 매뉴얼 부재	1. 건물붕괴대비 매뉴얼 작성 및 운영 2. 건물붕괴를 대비한 대피 훈련 실시

나) 4M 분석틀을 활용하는 경우

<표12> 4M 분석을 통한 재난사례 분석 보고서

1. 재난 사례명 : 삼풍백화점 붕괴사고
2. 재난의 유형 : 자연재난(　　), 사회재난(√), 기타재난(　　)
3. 재난 발생 개요 **①발생일시 :** 1995년 6월 29일 17시 57분 **②발생장소 :** 서울특별시 서초구 서초동 1685-3 삼풍백화점 A동 **③사고경위 :** 붕괴 며칠 전부터 금이 가고 천장에서 시멘트 가루가 떨어지면서 건물이 기우는 등 붕괴와 관련된 여러 징조가 있었지만 경영진은 영업을 계속하였고, 6월 29일 17시 57분, 삼풍백화점 A동은 옥상으로부터의 붕괴 시작 5분 만에 완전히 주저앉아 세계의 건물 붕괴 관련 참사 중 사망자 11위를 기록한 대형 참사 사건. **④피해현황 : (인명)** 사망 502 명, 부상 937 명, 실종 6 명 **(재산)** 약 2700억원, 피해 보상액 3792억 원
4. 재난의 발생원인과 개선 대책 (표로 작성하여 후술)
5. 해당 재난이 사회에 미친 영향 ① 대한민국 최초로 해당 지역을 특별재난지역으로 지정 ② 삼풍그룹 회장 이준 등 백화점 관계자와 공무원 등 25명이 기소 ③ 전국적인 건축물 안전실태 조사와 건축법의 강화의 계기가 됨. ④ 대형 재난에서 현장지휘시 명령통일의 원칙이 제대로 이루어지지 않는 문제등이 제기되어 긴급구조의 현장지휘권이 소방조직으로 일원화되는 계기가 됨. ⑤ 중앙119구조대가 서울·부산·광주에 설치 됨.

	원인	대책
인적 요인	① 심리적 원인 2. 주관적인 판단착오 2-1. 건물조사관 의견 무시 운영 중단 요청 무시 등 2-2. 전조현상 무시 벽 금 무시, 땅 기울기 무시 등 5. 도덕적 해이 문제 5-1. 근린시설로 허가 된 건축물을 백화점(판매시설)로 사용하며, 불법 증축(4층에서 5층) 5-2. 자신의 계열사로 건축사를 변경하여 설계	① 심리적 원인 2. 주관적인 판단착오 2-1. 건물조사관 의견 무시 가. 건물조사관의 즉시 보고의무 및 매뉴얼 작성 및 운영 나. 건물조사관의 판단을 거부하거나 불이행시 처벌기준 강화 **2-2. 전조현상 무시** 이상현상 발생 시 전문적인 감식단을 불러 확인하여 결과 확인 후 조치 5. 도덕적 해이 문제 **5-1. 불법 용도 변경, 불법 증축** 가. 건물 건축 시 감리권한 강화(감리원의 책임의식 강화 및 독립성 보장) 나. 건축공무원 외적 통제 장치 및 처벌 강화 **5-2. 계열사로 건축사 변경** 소속 계열 설계·시공·감리 회사 선임 금지
	③ 직장적 원인 **1. 경영진 역량 및 리더십 문제** 경영진의 안전에 대한 의식 및 역량、리더십의 부재	③ 직장적 원인 **1. 경영진 역량 및 리더십 문제** 가. 중대 안전사고 발생시 경영진 처벌강화 및 무한책임 나. 총괄안전관리책임자 지정 및 경영진의 안전관리교육 의무화

	4. 상황보고상의 의사소통문제 건물붕괴에 대한 상황전파ㆍ대피 방법등의 허술함과 매뉴얼부재	**4. 상황보고상의 의사소통문제** 건물붕괴시 신속한 상황전파를 위한 경보설비 구축, 피난수단 확보, 관련 매뉴얼 제정
설비적요인	**1. 설계상의 결함** 가. 콘크리트 바닥 기둥 크기 모양 감소 및 에스컬레이터 옆 기둥 크기 추가 감소(32인치/23인치) 나. 드롭패널 부실, 엘자 철근 대신 일자 철근 사용 **2. 시공상의 결함** 가. 건물 옥상에 에어컨과 냉각수의 무게를 합하면 87톤인데 옥상이 견뎌낼 수 있는 하중의 4배가 넘는 무게 나. 5층 식당가 식기 재료 등 무게 초과 **6.안전시설ㆍ소방시설ㆍ피난시설의 부재 및 결함** 비상벨 울린 후 육성으로 대피 명령(방송장비 미사용)	**1. 설계상의 결함** 무량판 구조의 건물설계 및 시공시 지켜야할 건축구조공학적 매뉴얼 작성 및 준수 **2. 시공상의 결함** 각 층에 적재할 수 있는 최대 하중 설정 (건축구조공학적 최대 하중 산정 매뉴얼 준수) **6. 시설의 부재 및 결함** 위급상황 발생 시 전체 층에 알릴 수 있는 방법으로 대피 명령(스피커 등 사용)
정보및환경적	**1. 정보부족의 문제** 가. 설계 공법에 대한 정보부족 나. 구조공학적 최대하중등에 대한 정보부족 다. 건물붕괴현상에 대한 정보부족 라. 대피방법등에 대한 정보부족	**1. 정보부족의 문제** 가. 건축물 설계 공법에 따라 지켜야할 가이드라인 제공 나. 건축구조공학적 최대 하중 산정 정보 제공 다. 건물붕괴의 전조현상과 대응절

요인	**4. 환경 조건의 불량** 비용절감을 위한 적절하지 않은 방법으로 에어컨 실외기 이동 (지붕바닥의 균열 유발)	차에 대한 정보제공 라. 건물붕괴시 대피방법등에 대한 정보제공 및 훈련 실시 **4. 환경 조건의 불량** 일정 중량의 물체 이동시 건축구조공학자의 의견을 받아 옮기도록 법제화
관리적요인	1. 안전관리 계획 및 매뉴얼의 부재 및 부실 2. 건물 붕괴 대응 매뉴얼의 부재 및 부실 3. 감리 및 안전점검의 부실 문제 4. 교육·훈련의 부재 및 부실	**1. 다중이용시설(백화점등)에 대한 개별 안전관리 계획 수립 및 재난시 매뉴얼 수립、시행** **2. 건물 붕괴 대응 매뉴얼의 수립 、시행** **3. 감리자의 독립 및 권한 강화, 주기적 안전점검의 법제화** **4. 재난유형별 피난 및 대응 교육 、훈련 실시의 법제화**

참고문헌

김주찬·김태윤, 2002, 국가재해재난관리체계의 당위적 구조

김태범, 2016, "소방공무원의 현장안전 저해 요인에 관한 4M 분석", 아주대학교 환경대학원 석사학위 논문.

박찬석, (2016) ,재난심리론, 토파민, 19~29.

소방청, (2016), 구조대원 안전사고 사례집, 23

나무위키(2023), 역대 대한민국의 대형사고 및 참사, 성수대교 붕괴 사고, 삼풍백화점 붕괴 사고, 인천 인현동 호프집 화재 참사, 대구지하철 참사, 청해진해운 세월호 침몰 사고, 제천 스포츠센터 화재 사고, 이태원 압사사고

위키백과(2023), 창경호 침몰 사고, 연호 침몰 사건, 한일호-충남함 충돌 사고, 와우아파트 붕괴 참사, 남영호 침몰 사고, 대연각호텔 화재, 충무 앞바다 YTL정 침몰 사고, 이리역 폭발사고, 대한항공 007편 격추 사건, 대한항공 858편 폭파 사건, 서해훼리호 침몰 사고, 대구 상인동 가스 폭발 사고, 대한항공 801편 추락 사고, 씨랜드 청소년수련원 화재, 인현동 화재 참사, 홍제동 주택 화재, 중국국제항공 129편 추락 사고, 밀양 세종병원 화재,

David McLouglin, A Framework for Integrated Emergency Management, Public Administration Review 45, p.166(1985)

Petak, Emergency Management: A Challenge for Public Administration. Public Administration Review p45, p.3(1985)

저자 소개

박찬석 교수

2006년 14기 소방간부후보생 시험에 합격하여 7년간 소방간부로써 공직자의 길을 걸었다. 재난과학박사 학위를 마치고 2013년 대학의 소방학과로 자리를 옮겨 현재까지 교수로써 소방인 양성에 힘쓰고 있다.

현재 소방청·충청북도·경상북도 소방안전분야 정책자문위원으로 자문활동 중이며, 소방간부후보생 시험·소방공무원시험·방재안전직 시험·한국공항공사 소방원시험의 출제 및 검토 위원으로 활동중에 있다.